KB209773

묵향 32
부활의 장
불완전한 각성

묵향 32
부활의 장

초판 1쇄 발행일 · 2014년 09월 03일
초판 5쇄 발행일 · 2020년 12월 30일

지은이 · 전동조
펴낸이 · 유용열
기 획 · 김병준
편 집 · 김민태, 김은희, 유지원
펴낸곳 · 도서출판 스카이미디어

주소 · 서울시 동대문구 용두동 234-35번지 대명빌딩 201호
전화 · (02)922-7466
팩스 · (02)924-4633
E-mail · skymedia62@hanmail.net
출판등록 · 제6-711호

값 9,000원

ISBN · 979-11-312-6364-8 04810
ISBN · 978-89-92133-00-5 (세트)

DARK STORY SERIES Ⅳ

묵향

부활의 장

전동조 장편 판타지 소설

32

불완전한 각성

스카이
BOOK

차례
불완전한 각성

·
·
·

차례
불완전한 각성

•

•

•

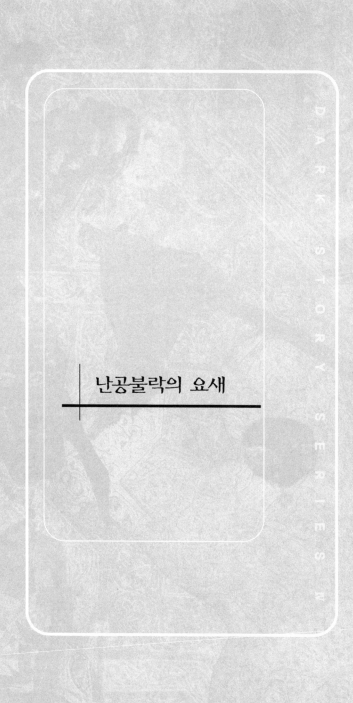

난공불락의 요새

32

불완전한 각성

모라이어스가 숲 속에서 보여 준 신출귀몰한 움직임만으로도 라이가 탈출을 포기할 정도였는데, 붉은 전갈 용병단보다 훨씬 윗등급으로 평가받는 페가수스 용병단 소속 레인저들의 실력은 어떻겠는가.

제7독립대대원들은 자신들의 행적이 적에게 낱낱이 감시당하고 있다는 사실을 꿈에도 모르고 있었다. 만약 도렌 영주가 용병단을 끌어들였다는 정 보만 입수했어도 이렇게까지 어이없이 뒤를 잡히지는 않았을 것이다. 그만큼 조심을 했을 테니까.

페가수스 용병단은 자신들이 상대해야 할 적이 누군지 명확하게 알고 있었다. 하지만 제7독립대대원들은 페가수스 용병단의 참전을 전혀 모르고 있었다. 이것 하나만으로도 이미 전투의 승패는 갈려 버렸다고 봐야 했다.

자신들의 위치를 적이 완벽하게 파악하고 있다는 사실을 전혀 모른 채, 제7독립대대 대대장은 지금까지 해왔듯 적을 기습하는 데 있어서 가장 안전하다고 판단되는 진격로를 택해 이동하고 있었다.

적을 기습하는 데 있어서 최우선 조건은 적에게 발각되지 않는 것이다. 그렇다 보니 그가 선택한 진격로는 험난하기 짝이 없는 산길이었다.

"이쪽 길로 가야 합니다요."

갈림길에서 길잡이는 오른쪽을 가리키며 조언했다. 하지만 대대장은 그쪽 길로 갈 생각이 전혀 없었다. 자신이 가지고 있는 지도에 따른다면, 왼쪽 길이 요새를 공격하기에 훨씬 더 유리했기 때문이다.

길잡이가 가야 한다고 말한 오른쪽 길은 요새지대와 도렌 영지의 중간 지점과 연결된다. 요새지대와 도렌 영지를 잇는 대로에 말이다. 따라서 오른쪽 길로 진격하면 많은 사람들이 왕래하는 대로를 따라 요새지대로 들어가야만 한다. 기습을 계획하는 대대장의 입장에서 그건 아주 문제가 많은 행로였다.

"오른쪽 길은 안 돼. 돌아가는 것도 문제지만, 적의 눈에 띌 가능성이 농후하단 말일세."

"그쪽 길은 너무 험합니다요."

길잡이는 나뭇가지 하나를 주워 들고 땅바닥에 주위 지형을 그려 가며 설명을 시작했다.

"예전에 겨울에 식량을 구하기 위해 남하해 오던 몬스터 무리들 중 일부가 그쪽 길을 통해 내려왔던 적이 있었습죠. 여기에서 우리가 온 길을 되짚어 따라가면 영주님이 계신 성까지 곧바로 연결되지 않습니까? 그때, 하마터면 영주성이 몬스터들에게 함락당하는 치욕을 당할 뻔했습죠."

당시 화가 머리끝까지 난 메르헨 영주는 왼쪽 길로 다시는 몬스터들이 내려오지 못하도록 강력한 요새를 건설하라고 지시했다고 한다. 1개 소대(10명)만 있어도 수천 마리의 몬스터를 막아 낼 수 있는 그런 난공불락의 요새를.

"그렇다면 더욱 그쪽으로 가야겠구먼. 그쪽 주둔군 지휘관에게 적정에 대한 정보도 듣고……."

대대장의 말에 길잡이는 지금껏 감추고 있던 사실을 실토해야만 했다. 사실 이것 때문에 그쪽 길로 가는 것을 반대하고 있었으니까.

"그 요새는 이미 오래전에 도렌에 빼앗겼습니다요."

"빼앗겼다고?"

"예."

대대장은 어이가 없었다. 길잡이의 말이 앞뒤가 안맞았으니까.

"난공불락이라면서 어떻게 도렌에 뺏긴 건가? 도렌군이 그렇게 강했나?"

"두 번에 걸친 대회전에서 도렌에 패배한 후, 영주님께서 그곳에 주둔하고 있던 병사들을 철수시킨 탓입죠."

지금까지 메르헨 영지군을 보며 대대장이 느낀 건 그야말로 오합지졸(烏合之卒)의 이미지뿐이다. 그런 허접한 놈들을 앞세워 요새화를 시켜 봐야 뭐가 그리 대단하겠는가. 어쩌면 적에게 점령당했다는 걸 숨기기 위해 병사들을 철수시켰다는 거짓 소문을 퍼뜨렸을 가능성도 있다고 대대장은 생각했다.

"돈이 넘쳐난다는 메르헨의 영주가 겨우 열 명의 병사를 주둔

시킬 돈이 없어서 병사들을 철수시켰다는 건가? 자네 말대로라면, 열 명만 있어도 방어가 가능하다면서?"

"그, 그건……."

대대장의 말에 길잡이의 안색이 시뻘겋게 달아올랐다. 대대장이 자신을 거짓말쟁이로 생각하는 듯했기 때문이다. 하지만 자세한 내막을 모르는 그로서는 뭐라고 반론을 제기할 수가 없었다.

"뭐, 그 얘기는 그만두세. 나는 그쪽으로 가기로 이미 마음을 정했으니 말이야. 그건 그렇고, 그 요새는 어떤 식으로 만들어져 있던가? 자세하게 설명 좀 해 주게."

요새의 빈틈을 미리 알고 있다면 공략하기가 쉬워지기에 물어본 것이었다. 하지만 길잡이의 대답은 대대장을 더욱 황당하게 만들었다. 그는 머리를 벅벅 긁으며 대답했다.

"그, 그게 직접 보지는 못했습죠. 그곳은 아무나 출입할 수 있는 곳이 아니거든요."

길잡이의 대답에 대대장의 비웃음은 더욱 짙어졌다. 직접 보지 않았다는 것만으로도, 길잡이의 말을 100% 믿을 수 없다는 게 확실해진 셈이었으니까.

"자네가 모른다니 더 이상의 대화는 의미가 없겠구먼."

진격로상에 요새가 건설되어 있고, 또 그게 도렌군의 수중에 넘어가 있다는 건 썩 유쾌하지 못한 상황이다. 아무리 형편없이 건설되어 있는 요새라 해도, 그게 건설되어 있는 지형이 어떠하냐에 따라 방어력이 몇 배나 상승하는 게 사실이었으니까. 더군다나 지금은 그곳 요새에 얼마나 많은 적병이 주둔하고 있는지 짐작조차 할 수 없는 상황이다.

대대장은 우선 각 중대장들에게 통보하여 대대 내의 모든 레인저들을 끌어모았다. 그는 지도를 보여 주며 레인저들에게 직접 명령을 내렸다.

"길잡이의 말로는 이 일대에 요새가 건설되어 있다고 한다. 자네들은 마음에 맞는 사람을 골라 두 명씩 짝을 지어 이 일대를 샅샅이 훑으며 적의 순찰대나 보초들을 없애 버려라. 적들의 눈과 귀를 틀어막아 우리들이 자신들을 향해 가고 있다는 사실을 눈치채지 못하게 막아라. 알겠나?"

"옛."

"각 조들은 각자 유기적으로 이동하며 빠뜨린 곳이 없도록 샅샅이 훑고 나가도록. 본대는 이곳에서 휴식을 취한 후, 30분 후부터 이동을 재개하겠다."

30분 후, 대대는 진격을 재개했다.

앞쪽에 적의 요새가 있다는 것을 뻔히 알면서도 대대장이 진격을 결심할 수 있었던 것은, 그 요새를 건설한 당사자가 메르헨 쪽이었기 때문이다.

요새는 적의 공격을 방어하기 위해 건설하는 방어 거점이다. 튼튼하게 건설하면 건설할수록 좋겠지만, 문제는 비용이다. 특히 이런 깊은 산속에 건설하는 요새의 경우 평지에 건설하는 것에 비해 몇 배의 자금을 필요로 한다. 그렇기에 적이 쳐들어올 방향을 위주로 방어선을 건설하게 된다.

남하하는 몬스터를 저지하기 위한 요새인 만큼 북쪽을 향한 방어는 아주 치밀하게 만들어 놨겠지만, 남쪽을 향해서도 과연 그렇게 해 놨을까? 뒤쪽에서 오는 건 아군뿐이니, 굳이 비싼 돈을 들여 후방 쪽에서의 공격에 대한 대비까지 해 놓을 이유가 없는 것이다.

물론, 도렌에서 그 요새를 점령했다고 하니, 남쪽에서 쳐들어오는 적에 대한 대비를 해 놓긴 해 놨을 것이다. 하지만 아무리 그렇다고 해도 북쪽을 향한 것처럼 그렇게 막강한 방어선일 리는 없었다. 기습만 제대로 가할 수 있다면, 최소한의 피해만으로도 점령이 가능할 거라는 게 대대장의 생각이었다.

왼쪽 길로 접어든 지 20여 분쯤 지났을 때였다. 산속이라는 게 믿어지지 않을 정도로 폭넓은 대로가 나타났다. 아마도 채석장에서 채취한 석재를 요새 건설현장으로 운반하기 위해 만든 배후 도로일 것이다.

대대장의 기분을 좋게 만든 것은 도로의 상태였다. 얼마나 오랫동안 사용되지 않았는지 도로 위는 잡초로 온통 뒤덮여 있었다. 도렌 쪽에서 이쪽 도로를 중요하게 생각하지 않고 있다는 증거였다.

대대장은 생각했다.

'나 같으면 요새를 점령하는 즉시 이쪽으로 병력을 투입하여 영주성을 기습했을 텐데……. 참, 그럴 필요도 없었나? 두 번의

대회전에서 압도적인 승리를 거뒀는데, 굳이 무리를 해가면서 기습작전을 펼칠 이유가 없었던 거겠지.'

메르헨이나 도렌, 양쪽 다 이쪽 도로가 지니고 있는 전술적 중요성을 외면하고 있다면, 그건 요새 또한 마찬가지이리라. 그런 분위기라면, 요새에 병사들이 다수 주둔하고 있다고 해도 경비 태세가 소홀할 가능성이 컸다.

'그게 아니라면 최소한의 병력만 배치되어 있을지도 모르지. 제발 그랬으면…….'

주변에 흩어져 있을 레인저들과 보조를 맞추기 위해 대대는 천천히 진격했다. 특히 그중에서도 올란도가 거느리는 중대는 다른 대대들보다 100여 미터 앞서 나가며 정찰 임무를 수행해 나갔다.

마침내 올란도의 부대는 저 멀리 수풀 위로 요새의 윗부분이 살짝 보이는 지점에 도달하는 데 성공했다. 올란도는 즉시 대대장에게 전령을 보내 그 사실을 알렸고, 얼마 지나지 않아 전령이 되돌아와 대대장의 지시를 전해 줬다.

"대대장님께서 적진을 정찰하시랍니다. 아주 중요한 임무니 부하들만 보낼 생각 하지 말고, 중대장님께서도 함께 가시랍니다. 적들의 대비 상태를 살펴보고, 그 헛점을 파악하는 데는 사병들보다는 장교가 훨씬 더 나을 거라면서요."

"이런 빌어먹을!! 정 가서 살펴보고 싶다면 자기가 직접 할 일이지……."

올란도의 얼굴은 완전 똥 씹은 표정이었다. 하지만 도중에 무슨 생각을 했는지 중대원들 앞에 서서 지시를 내릴 무렵 그의 얼굴에는 환한 미소가 걸려 있었다.

올란도는 대원들을 쭉 둘러보며 신 난다는 듯 말했다.

"제군들! 적진에 대한 공격에 앞서 잠시 이곳에서 휴식을 취하라는 대대장님의 명령이다."

올란도의 말에 모두들 여기저기에 주저앉았다. 안 그래도 날도 더운 데다가 바람도 잘 통하지 않는 묵직한 갑옷까지 몸에 걸치고 있으니 모두들 죽을 맛이었던 것이다.

"모두들 쉬고 있는데 안됐지만, 지금 호명하는 대원들은 앞쪽으로 가서 정찰 좀 하고 와야겠다."

"우~~."

인상을 왈칵 찡그리며 중대원들이 야유를 퍼붓자, 올란도는 그쯤은 이미 예상했다는 듯 피식 웃으며 말했다.

"너무한다고 생각하지 마라. 나도 갈 테니까 말이야."

중대장인 올란도 역시 함께 정찰 임무를 수행한다는 말에 대원들의 야유는 뚝 그쳤다.

"지금부터 호명하는 대원은 자신의 말을 다른 동료에게 맡기고 앞으로 나오도록. 우선 쟈코!"

이런 임무는 모라이어스처럼 레인저 교육을 받은 사람을 보내는 게 최고였지만, 아쉽게도 그들은 대장이 차출해서 데려가 버린 상태. 그렇기에 올란도는 쟈코를 필두로 4명의 고참병들을 차례로 호명했다. 하지만 모두의 예상을 깨고 그가 마지막으로 호명한 대원은 중대에서도 가장 막내인 라이였다.

정찰은 평상시에 행해지던 것과 똑같이 진행되었다. 올란도를 선두로 대원들은 각자 그 뒤를 10미터 정도씩 거리를 두고 일렬로 도로를 따라 걸어갔다. 대대장이 진로를 바꾼 이래, 산길치고는 꽤나 널찍한 도로가 이어지고 있었다. 마차 한 대는 충분히 지나갈 수 있을 정도의 폭이다.

얼마나 전진했을까, 길이 굽어지는 지점이 나오자 올란도는 조용히 손을 들어 대원들을 멈춰 세웠다.

"우리들의 임무는 적들의 경계 태세가 어떤지 몰래 살펴만 보고 오는 거다."

그때 궁금하다는 듯 라이가 질문을 던졌다.

"경계 태세라면 적병의 숫자나 배치, 뭐 그런 걸 말씀하시는 겁니까?"

"맞아. 흐흠, 이왕에 말 꺼낸 김에 네가 가서 살펴보고 와라."

라이는 떨떠름한 표정으로 급히 되물었다.

"제가…, 말씀이십니까?"

"너무 가까이 접근할 필요는 없다. 보초의 숫자는 몇 명인지, 또 요새의 구조는 대략 어떤 형태인지, 뭐 그런 정도만 파악하면 돼. 알겠냐?"

"그러다 발각돼서 적들이 화살이라도 날리면요?"

지시를 내리면 입 닥치고 따를 것이지, 라이가 겁먹은 표정으로 자꾸 질문을 던져대자 올란도는 눈살을 찌푸리며 퉁명스럽게 말했다.

"아, 거 짜식. 시키면 시키는 대로 할 것이지, 뭔 말이 그리 많아! 그리고 설혹 적군이 활을 쏜다고 치자. 너한테 응사할 활이라도 있냐?"

"아뇨."

활은 믿을 수 있는 고참병들에게만 소지가 허가될 뿐, 라이와 같은 신병은 사용할 수 없는 무기였다.

"그럼 답은 뻔한 거 아냐. 들켰다 싶으면 발바닥에 불이 나도록 토껴야지."

올란도의 질책에 라이는 시무룩한 표정을 지으면서도 또다시 조심스럽게 질문을 던졌다.

"근데 저…, 혼자…, 가는 겁니까?"

그러자 올란도는 악마처럼 음흉한 미소를 얼굴 가득 지으며 이죽거렸다.

"그래, 너 혼자서. 하지만 뒤에서 우리들이 지원을 해 줄 테니 걱정 말고 갔다 와. 지금 당장!"

길 앞쪽을 손가락으로 가리키며 단호하게 명령하는 올란도. 라이의 인상이 왈칵 일그러졌다. 이제야 놈의 속셈이 뭔지 확실히 안 것이다.

'이번에는 적병의 손을 빌려 나를 죽이려고 하는군. 이런 개자식!!'

그렇다고 중대장의 명령을 거부할 수는 없었다. 안 그래도 평소 올란도가 자신을 삐딱하게 보고 있다는 것을 라이도 눈치채고 있었다. 거부한다면 그걸 핑계로 명령불복종이라며 곧장 칼을 뽑아 자신의 목을 뎅강 날려 버릴 게 뻔했다.

"젠장, 갑니다. 가! 그러니까 경계병의 숫자만 알면 된다, 이거죠?"

투덜거리던 라이는 대원들 사이를 빠져나와 앞쪽으로 나섰다. 그리고는 길 옆으로 붙은 뒤 납작 엎드려서 수풀을 헤치며 천천히 전진하기 시작했다. 적의 요새가 있다는데 길 한복판으로 멍청하게 걸어가다 죽기는 싫었으니까. 그런 라이를 바라보며 올란도는 씨익 미소 지었다.

'흠, 이젠 제법 용병티가 나긴 하는군. 과연 이번에는 또 어떤 놀라움을 나에게 선사할지 기대가 되네.'

라이가 자신의 휘하에 들어온 이후, 엄청난 속도로 발전하고 있다는 것을 눈치채지 못할 올란도가 아니다. 그는 알고 싶었다. 적에게 발각이 되어 화살이 날아올 때, 라이가 어떻게 반응할지를.

물론 그렇다고 해서 라이를 맥없이 죽게 놔둘 생각은 전혀 없었다. 무의미하게 흘러가는 일상생활 속에서, 살고자 악착같이 발버둥치는 라이의 모습을 지켜보는 것만으로도 충분히 재미있었으니까.

올란도는 4명의 고참병들에게 명령했다.

"너희들은 라이를 향해 화살을 날리는 적병이 있는지 주위를 잘 살펴보도록! 적병이 매복하고 있을 가능성이 크니까, 주의를 게을리 하지 마라."

"알겠습니다."

"만약 라이가 단 한 발이라도 화살을 맞는 날에는 어떻게 될지 잘 알지? 앞으로 1년 동안 네놈들 입에서 곡소리가 나오도록 만들어 줄 테다."

뒤에서 올란도가 나머지 대원들에게 어떤 명령을 내렸는지 전혀 알 리 없는 라이는 앞으로 박박 기어가면서도 자신이 알고 있는 욕이란 욕은 몽땅 다 떠올리며 올란도를 열심히 씹어대고 있었다. 물론 입 밖으로 내지는 못하고, 머릿속으로 말이다. 원래 나쁜 놈들은 귀가 밝은 법이니까.

'이런 나쁜 놈의 새끼! 나한테 뭘 원수를 졌다고 이렇게까지 못살게 굴어! 오크보다 더 악랄한 놈의 새끼. 오크들도 너보다는 나았어. 어디 두고 보자. 언젠가 네놈 등에다가 칼을 깊숙이 박아 줄 테니까.'

숨이 턱에 차도록 땅바닥을 박박 기면서 앞으로 전진하던 라이는 잠시 쉬면서 뒤를 돌아봤다. 그런데 아무도 보이지 않았다. 뒤를 따라오며 자신을 보호하고 있는 줄 알았는데, 아무래도 버려진 건 아닌가 하는 의심이 덜컥 들었다.

'젠장. 안 걸리면 좋겠지만, 적에게 발각되면 그냥 죽게 내버려 둘 심산인가?'

앞으로 계속 나아가야 하나 말아야 하나, 망설이며 주위의 동태를 살폈다. 하지만 그것도 잠시, 더 이상 시간을 끌 수는 없었다. 이렇게 꾸물거리고 있다 보면 악독한 올란도가 언제 뒤통수에 화살을 날릴지도 모르니까.

라이는 마음을 모질게 먹었다.

'그래, 이렇게 된 바에야, 내가 살려면 적병에게 발각되자마자 항복하는 수밖에. 노예로 팔려 와 어쩔 수 없이 여기로 끌려왔다고 하면 혹 살려 줄지 알아? 게다가 우리 용병단에 대한 정보까지 모두 알려 준다고 하면 그 가능성이 더 커지겠지?'

마음을 굳힌 라이의 움직임이 보다 빨라졌다.

한참을 기어가자 이윽고 수풀 위로 우뚝 솟아 있는 방어벽이 시야에 들어왔다. 방어벽 위에서라면 이 일대 전체를 한눈에 감시할 수 있을 듯했다. 라이는 눈을 가늘게 뜨고 뚫어져라 방어벽을 살펴봤지만 적의 모습은 보이지 않았다.

라이가 100여 미터쯤 더 앞쪽까지 기어가자 숲이 끝나며 넓은 공터가 나타났다. 공터는 요새의 방어벽까지 이어져 있었다. 덕분에 라이는 한눈에 알 수 있었다. 자신이 목표로 삼아 거리를 좁혀 온 방어벽의 실체를.

그것은 요새를 감싸고 있는 방어벽이 아닌, 길을 가로막고 있는 굳건한 방벽(防壁)이었던 것이다.

방벽은 반대편에서 전진해 오는 적들을 막을 수 있도록 건설되어 있었다. 대부분의 성벽들이 그러하듯 방벽 위에는 병사들이 몸을 숨기고 적병들을 향해 화살을 쏘기에 용이하도록 요철(凹凸) 형태의 성가퀴가 만들어져 있었다. 하지만 성가퀴가 설치된 방향은 저 반대편 쪽을 향하고 있었지, 이쪽은 그냥 뻥 뚫려 있었다.

시선을 돌려 아래쪽을 살펴보니 작은 건물 두 채가 보였다. 한눈에 봐도 오랫동안 사람이 사용하지 않았음에 확실했다. 죽을 각오를 하고 여기까지 온 라이는 허탈함을 감추기 어려웠다.

'아무도… 없잖아?'

어쩌면 올란도 그놈은 이미 적이 없다는 걸 알고 있었을지도 모른다. 그러니까 자신이 어떻게 나오는지 시험해 보려고 먼저 보낸 것이리라. 이런 망할 놈! 오크한테 붙잡혀서 죽을 때까지 노예 노릇이나 해라!

라이는 신경질적으로 뒤쪽으로 고개를 돌려 큰 소리로 외쳤다.

"전방에 방벽 발견! 적병은 한 명도 없습니다."

라이는 보고를 받은 올란도가 재미있다는 듯 크게 웃을 거라고 생각했다. 하지만 그게 아니었다. 곧바로 나직하지만 신경질적인 목소리가 되돌아왔다.

"야, 이 새끼야. 적이 뒤쪽에 있을지도 모르는데 어디서 큰 소리야! 죽고 싶어 환장했어?!"

"……."

"닥치고 다시 잘 살펴봐. 어딘가에 숨어 있을지도 모르니까. 알겠냐?"

"옛."

찔끔한 라이는 고개를 팍 숙인 채 눈알을 열심히 굴리며 주변을 꼼꼼히 살펴봤지만, 적의 모습은커녕 개미 새끼 한 마리 보이지 않았다.

라이는 이번에는 낮은 목소리로 속삭이듯 보고했다.

"중대장님~ 아무도 없는 것 같은데요. 정말이라니까요."

그러자 올란도가 도저히 참지 못하겠다는 듯 잠복하고 있던 곳에서 벌떡 일어나 씩씩거리며 걸어나왔다. 그는 라이에게로 다가서며 짜증 어린 목소리로 소리쳤다.

"너 이 새끼! 이러다 적병이 한 놈이라도 발견되면, 네놈의 쓸모없는 눈깔을 둘 다 뽑아 버릴 줄 알아."

"중대장님, 그러시면 안 됩니다."

"위험합니다."

뒤에서 고참병들이 말리는 소리가 들리지도 않는 모양이다. 올란도는 라이의 곁을 지나쳐 공터 밖으로 나가 버렸다. 공터로 나서자 방벽의 전체적인 모습이 한눈에 확 들어왔다. 방벽은 위로 솟아오른 왼쪽의 절벽과 오른쪽의 낭떠러지 사이로 나 있는 도로를 가로막을 목적으로 건설되어져 있었다. 방벽의 폭은 그다지 넓지 않았지만, 높이는 10미터는 족히 되고도 남을 섯 같았다.

"뭐, 이런 무식한 방벽이 다 있어. 이런 산골짜기에다가……."

올란도는 돌계단을 이용해 방벽 위로 올라갔다. 올라가 보니 방벽의 두께가 상상 이상으로 두껍다는 것을 알 수 있었다. 가장 얇은 곳도 4미터는 족히 되었다. 이 정도라면 오우거라 하더라도 쉽사리 뚫지는 못하리라. 이런 엄청난 규모의 방벽을 인적이 드문 산골짜기에 건설했다는 게 그저 놀라울 따름이었다.

하지만 올란도의 놀라움은 아직 끝난 게 아니었다. 주위를 둘러본 올란도는 경악을 금치 못했다.

"이… 이런 말도 안 되는……."

방벽 아래쪽으로 쭉 펼쳐져 있는 놀라운 광경! 수직에 가까운 산비탈을 깎아 4명은 족히 걸어갈 수 있을 정도의 도로를 뚫어 놓은 것이다. 도로를 중심으로 한쪽은 깎아지른 듯한 절벽이요, 반대편은 낭떠러지다. 그 도로를 제외한다면 그 어디로도 움직일 수 있는 길은 없었다.

"이런 미친 짓을 해낸 영주가 있을 줄이야……."

처음부터 산비탈이 저렇듯 수직은 아니었을 것이다. 아마도 무수한 인력을 동원하여 절벽의 형태가 될 때까지 깎아 낸 것이겠지. 저 엄청난 중노동의 흔적을 보며, 올란도는 인간의 능력에 경외심을 품지 않을 수가 없었다.

이때, 저 멀리 길 끝부분에 이쪽을 향해 건설되어 있는 관문이 보였다. 그걸 보자마자 올란도는 재빨리 고개를 숙여 성가퀴 안쪽으로 몸을 숨겼다. 이쪽이야 방어가 불가능하니 그냥 내버려 뒀다고 해도, 저쪽에는 적병이 주둔하고 있을 가능성이 컸기 때문이다.

올란도는 품속에서 망원경을 꺼내 저쪽 방벽을 세심하게 살펴봤다. 반대편 관문은 이곳에 비한다면 비교적 최근에 건설된 듯 깔끔하게 정비가 잘되어 있었다.

아마도 저 방벽은 메르헨의 침입을 염려한 도렌 영주가 비교적 최근에 건설한 것인 모양이다.

"젠장, 저쪽에 1개 소대라도 배치되어 있다면, 기습이고 나발이고 끝장이군. 대대장은 무슨 생각으로 이쪽으로 온 거지?"

얼굴이 딱딱하게 굳은 올란도는 망원경으로 방벽 구석구석을 꼼꼼히 살펴봤다. 시간이 지날수록 그의 입가에는 미소가 떠오르기 시작했다. 아무리 살펴봐도 적병의 흔적을 찾을 수가 없었기 때문이다. 올란도는 씨익 미소 지으며 중얼거렸다.

"흐흐, 우리 대대장은 꽤나 운이 좋으시단 말씀이야. 이번에도 손쉽게 공적을 올릴 수 있을 테니."

올란도는 고개를 아래로 내밀어 라이를 찾았다.

"라이! 라이! 이 녀석 어디 있어?"

햇빛을 피해 건물 안에서 쉬고 있던 라이가 밖으로 튀어나왔다.

"왜 그러십니까? 중대장님."

"너 빨리 가서 대대장님께 보고해라. 적병이 없다고 말이야."

동료들이 모두 쉬고 있을 때, 대대장에게 달려가 보고하고 돌아오라니. 그것도 자기 혼자서. 불만에 가득 찬 라이의 입이 앞으로 쑤욱 튀어나올 수밖에 없었다.

올란도의 보고를 받은 대대장은 본대를 이끌고 진격해 왔다. 도착하자마자 대대장은 중대장들을 거느리고 방벽 위로 올라왔다. 주위를 둘러보던 대대장의 얼굴은 어느새 딱딱하게 굳어 있었다.

설마 이런 식으로 방어선을 만들어 놨을 줄이야 상상조차 해 본 적이 없다. 적이 들어올 수 있는 통로는 한쪽 면이 낭떠러지인 저 도로밖에 없다. 그리고 그 도로를 틀어막고 있는 이 튼튼한 방벽. 이 정도라면 정말로 길잡이의 말대로 1개 소대만 있어도 몬스터의 대부대를 막아 내고도 남을 것 같았다.

"반대편에도 이런 관문이 있다고?"

"예, 대대장님. 다행스럽게도 그쪽에도 적병은 없는 것 같습니다."

품속에서 망원경을 꺼내 반대편 관문을 직접 살펴보고 있는 대대장을 향해 올란도가 조언했다.

"흩어져 있는 레인저들을 불러 모으려면 시간이 좀 걸리지 않겠습니까. 그 틈을 이용하여 정찰대를 보내는 건 어떻겠습니까. 저 아래쪽을 보십시오."

올란도는 관문 아래쪽으로 길게 이어져 있는 경사로를 손가락으로 가리키며 말을 이었다. 관문의 바로 앞부분의 길은 경사가 아주 가팔랐다. 적이 관문을 공격하기 힘들게 하기 위해 그렇게 해 놓았으리라.

"경사가 워낙 급한 데다가 몸을 숨길 만한 곳도 전혀 없습니다. 만에 하나 저쪽 관문에 적병이 매복해 있다면 엄청난 피해를 입을지도 모릅니다. 그런만큼 확실하게 해 놓고 움직이는 게 좋겠다고 저는 생각합니다."

대대장은 고개를 끄덕이며 그 말에 찬동했다.

"그건 자네 말이 맞아. 조심해서 나쁠 게 없으니, 말 꺼낸 김에 자네가 한 번 더 수고해 주게."

설마 두 번씩이나 일을 시킬 줄이야. 그가 그 말을 꺼낸 건 지금껏 고생하지 않고 띵가거리고 있던 다른 중대장 놈들이 고생하라고 한 거였지, 자신이 고생하겠다는 뜻은 전혀 아니었다.

올란도의 얼굴이 일그러지는 찰나, 옆에서 두 사람의 대화를 듣고 있던 제2중대장 루니엘이 끼어들었다.

"계속 1중대에게만 임무를 맡기시는 건 불공평하죠. 이번에는 저희 중대가 정찰 임무를 맡고 싶습니다."

대대장은 곧바로 대답하지 않고 올란도를 쳐다봤다. 올란도는 좋은 기회를 놓쳤다는 듯 심드렁한 목소리로 말했다. 하지만 속으로는 좋아 죽을 지경이었다.

"전 아무래도 상관없습니다."

"그럼 이번에는 2중대가 수고해 주게."

"알겠습니다."

"루니엘이 정찰하고 있는 동안, 주변에 흩어져 있는 레인저들을 불러들이도록 하게."

"옛."

루니엘이 자기 중대에서 정찰 임무를 맡겠다고 선뜻 나선 것은, 올란도의 1중대만 계속 공적을 거저먹게 하고 싶지 않았기 때문이다. 아무리 살펴봐도 반대편에선 적군의 인기척이 전혀 느껴지지 않았으니까…….

방벽 밑으로 내려온 루니엘 중대장은 부하 10여 명을 선발해 경사로를 내려갔다. 관문과 관문 사이를 연결하는 도로는 U자형으로 만들어져 있었다. 내리막길의 길이는 거의 500여 미터였고, 내리막이 끝난 다음에 50~60미터 정도 평평한 길이 이어지다 곧바로 400여 미터에 달하는 가파른 오르막길이다. 화살의 사거리 밖인 만큼, 내려갈 때는 마음 편히 내려갈 수 있었다.

오르막길로 접어들자마자 루니엘 중대장은 일렬로 길게 늘어선 대형(隊形)으로 진형을 바꿨다. 그리고 혹시 있을지도 모를 적의 화살 공격에 대비하기 위해 방패로 몸의 전면을 가린 채 조심스럽게 전진해 올라가기 시작했다.

그런 루니엘 중대장과 대원들의 모습을 모두 손에 땀을 쥐고 지켜봤다. 작전의 성패가 달려 있는 것이다. 만약 반대편에 적병이 주둔해 있다면 이번 기습 작전은 실패라고 봐야 했다. 저런 난공불락의 요새를 겨우 이 정도 병력으로 공격한다는 것은 자살행위나 마찬가지니까.

그렇다고 후퇴해서 다른 길로 이동할 수도 없다. 왜냐하면 적들이 자신들의 존재를 상부에 보고할 게 뻔했으니까. 그렇다면 철수하는 수밖에 다른 도리가 없는 것이다. 그야말로 지금까지 해 온 모든 고생이 완전히 헛것이 된다고 봐야 했다.

다행히도 정찰대가 방벽 근처에 접근할 때까지 아무런 이상 징후도 일어나지 않았다. 더군다나 방벽에 설치된 문조차 잠겨 있지 않았다. 루니엘의 대원들이 힘을 주어 밀자 '끼이이익!' 하는 요란한 소리를 내며 그냥 열려 버렸던 것이다.

루니엘과 대원들은 신속히 문 안으로 뛰쳐들어간 뒤 주위를 살펴봤다. 사람의 흔적은 전혀 찾아볼 수 없고, 짙은 정적만이 감돌고 있을 뿐이다. 루니엘 중대장의 손짓에 따라 대원들은 사방으로 흩어져 수색을 시작했다. 하지만 그 어떤 인기척도 찾아낼 수가 없었다.

그제서야 안도의 한숨을 내쉰 루니엘 중대장은 방벽 위로 올라가 맞은편 방벽을 향해 양손을 엑스자로 휘저으며 적이 없다는 수신호를 보냈다. 그것을 본 대대장은 주위의 부하들을 둘러보며 힘찬 목소리로 명령을 내렸다.

"전원 이동! 악마의 골짜기만 건너고 나면 얼마 지나지 않아 이 지긋지긋한 산행도 끝이다. 모두들 힘내라!"

적병이 없는 게 확실했기에, 대대장은 아직까지 연락이 안 된 레인저들에게 연기 신호를 보내라고 지시했다. 행방불명인 레인저는 2개 조, 4명이었다. 그들을 기다리기 위해 여기서 시간을 보내고 있을 수는 없는 노릇이다. 어차피 연기 신호를 보면 본대를 뒤쫓아 올 것이었으니까.

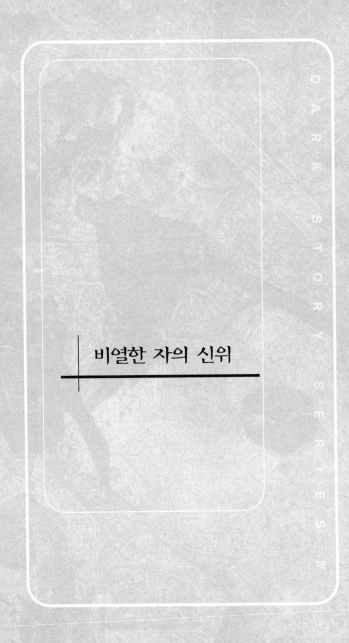

비열한 자의 신위

32

불완전한 각성

악마의 골짜기는 전체 길이가 1킬로미터 남짓밖에 안 되는 통로다. 그렇지 않아도 험한 산길에 사람의 손길이 더해져 더욱 위험한 길이 되어 버렸다. 루니엘 중대장이 자청해서 정찰 임무를 맡겠다고 나선 가장 큰 이유이기도 했다.

　시원한 바람을 맞으며 방벽 위에 서 있는 루니엘 중대장의 시야에 이쪽으로 오기 위해 길 위에서 말들과 씨름을 하고 있는 동료들의 모습이 보였다. 지쳐 버린 말은 걸으려 하지 않고, 제자리에 버티고 서서 투레질만 연신 해 댔다. 그런 말을 강제로 끌고 온다는 건 결코 쉬운 일이 아니다. 아직 멀리 있지만 짜증으로 인해 왈칵 일그러진 동료들의 모습이 눈에 보이는 듯했다.

　루니엘 중대장은 자신의 선택이 탁월했다고 생각하며 키득거리며 웃었다.

　"킬킬, 내 이럴 줄 알았지."

　자신들은 정찰 임무를 수행하기 위해 최소한의 무장만 하고 왔을 뿐이다. 하지만 지금 저 밑에서 오고 있는 자신의 중대원들은 동료들의 말까지 끌고 오느라 개고생을 곱빼기로 하고 있는 것이다.

"크흐흣, 이래서 상황 판단이 빨라야 몸이 편한 거야. 안 그래?"

자신의 탁월한 판단 덕분에 편히 온 부하 놈들이 아무도 맞장구를 쳐 주지 않자, 기분이 상한 루니엘 중대장은 짐짓 인상을 찌푸리며 고개를 뒤로 돌렸다.

순간 그의 눈이 경악으로 인해 부릅떠졌다. 짙은 녹색 로브로 몸을 감싼 괴한이 부하의 입을 틀어막고 단검으로 목을 베고 있었던 것이다.

부하는 비명조차 지르지 못하고 버둥거리다 축 늘어졌다. 죽은 것이다.

"이, 이런……!!"

경악한 루니엘이 급히 검을 뽑으려고 했지만 더 이상의 행동은 이어지지 못했다.

픽.

어디선가 날아온 화살이 그의 미간을 꿰뚫어 버렸던 것이다. 그는 비명조차 내지 못한 채 무너지듯 쓰러져 버렸다. 루니엘 중대장과 대원 10명을 단숨에 해치워 버린 정체불명의 사내들. 그들은 한결같이 짙은 녹색 로브를 입고 있었다.

일격에 루니엘을 사살해 버린 사내는 재빨리 화살을 장전하며 주위를 둘러봤다. 적의 지휘관을 처리하는 동안 그의 부하들도 자신이 맡은 놈들을 모두 다 해치워 버렸는지 저항하고 있는 적의 모습은 보이지 않았다.

"쯧, 적진에서 경계도 하지 않고 퍼져 있는 놈들이 뭔 용병 짓을 하겠다고. 이러니 3류라는 소리를 듣지."

루니엘 중대장과 대원들이 이토록 허무하게 제압된 이유는 이곳이 앞쪽을 향해서만 튼튼한 벽으로 방어되어 있을 뿐 뒤쪽은 무방비 상태로 뻥 뚫려 있었던 탓이다.

적병이 없다고 안심한 대원들은 두셋을 제외하고는 모두들 땀을 뻘뻘 흘리며 걸어 올라오고 있는 동료들을 바라보느라 한눈을 팔고 있었다. 그런 방심(放心)이 적의 기습을 허용했던 것이다.

＊　　＊　　＊

짙은 녹색 로브를 입은 사내들은 페가수스 용병단의 레인저들이었다.

용병단의 편제상 각 소대에는 대개 1명씩의 레인저를 배치한다. 페델 중대장은 그들을 모두 차출하여 임시로 특공조를 편성한 뒤, 적을 추월하여 이곳에서 은신할 것을 명령했다. 험악한 산길을 가로질러 적들을 추월해야 하는 고난도의 임무였다. 하지만 그들은 그 어려운 임무를 깨끗하게 완수했고, 명령받은 대로 이곳 방벽을 확보하는 데 성공했다.

특공조를 이끌고 있는 선임 레인저는 방벽을 향해 접근해 오는 적들을 향해 비릿한 조소를 날렸다.

"모든 게 계획대로로군."

그는 자신의 활에 화살을 메기며 동료들에게 지시했다.

"전원 사격 준비!"

동료들을 돌아보며 사격 준비가 완료되었는지 확인했다. 그
런 다음 그도 시위를 힘껏 뒤로 당기며 목표물을 찾았다. 정규
군과 달리 용병은 계급장을 붙이고 있지 않다. 더군다나 헐렁한
원피스 형태의 로브로 전신을 가린 상태. 하지만 그렇다고 해서
실력 있는 놈을 찾아낼 방법이 없는 것은 아니다.

곧이어 그는 꽤 관록이 있어 보이는 듯한 먹잇감을 발견했다.

"이봐, 다섯 번째 열에서 이마에 흰점 박힌 밤색말 끌고 오는
놈. 누가 조준하고 있나?"

그러자 옆에서 동료의 대답이 들려왔다.

"그놈은 내가 침 발라 놓은 놈이야. 그러니 넘보지 말라구."

"젠장. 보는 눈은 있어 가지고……."

하기야 앞에서 걸어오는 놈들 중에서 그놈이 쓰고 있는 투구
가 가장 눈에 띄었는데, 당연히 찜하지 않았을 리 없다.

"그놈 바로 뒷녀석은 누가 조준하고 있나?"

이번에는 아무런 대답도 들리지 않았다. 그는 목표물의 가슴
을 겨누며 최대한 시위를 팽팽하게 당겼다.

"쏴!"

순간, 레인저들의 활에서 일제히 화살이 발사되었다.

쉬우우웅—.

매서운 파공성을 울리며 날아가는 화살들.

퍽, 퍽, 퍽.

"으악!"

"케엑!"

화살이 꽂히는 섬뜩한 소리와 함께 여기저기에서 비명 소리가 터져 나왔다. 삽시간에 다섯 명의 대원들이 쓰러졌다.

"적이다!"

갑작스러운 화살 공격에 여기저기에서 경악성이 흘러나왔다. 그리고 그와 거의 동시에 소대장들의 악쓰는 소리가 동시다발적으로 터져 나왔다.

"방패벽! 전원 방패벽을 쌓아라!"

소대장들의 명령이 떨어지자마자 대원들은 재빨리 방패를 들어 소대별로 방어벽을 만들었다. 가장 아래쪽에 3명, 중간열에 4명, 그리고 맨 윗줄에 3명. 평소 빡세게 훈련을 해 왔기에 방패벽은 거의 순식간에 완성되었다.

슈우우웅―.

퍼퍽, 퍽!

방패벽을 제대로 쌓은 소대는 피해를 입지 않았지만, 가장 앞쪽에 위치해 있던 소대는 이번에도 두 명의 사망자를 냈다. 최초 공격에 반수 가까이 죽어 버린 상태였기에 제대로 방어벽을 쌓을 수가 없었던 탓이다. 살아남은 대원들은 재빨리 다른 소대의 방패벽 뒤로 달려가 몸을 숨겼다.

그 모습을 지켜보고 있던 대대장은 기가 막히는지 인상을 쓰며 버럭 소리를 질렀다.

"이게 도대체 어떻게 된 일이야? 루니엘 이 자식은 대체 뭐하고 있는 거야?"

"아마 모두 죽은 모양입니다. 그렇지 않다면 저 화살들을 루니엘과 그 부하들이 쏘고 있다는 말일 테니까요."

올란도의 대답에 대대장은 아직도 현재의 상황을 믿고 싶지 않은 모양이었다. 그는 힘없는 어조로 중얼거렸다.

"설마 루니엘이 그렇게 맥없이 당했을라고……?"

"적들이 없다고 마음 폭 놓고 방심하고 있었다면, 제아무리 그라고 해도 한순간에 휙!"

올란도는 익살스런 표정으로 자신의 목을 손가락으로 쓱 긋는 시늉을 하며 말을 이었다.

"이렇게 되는 거죠. 최악의 관문이라고 길잡이가 입에 거품을 물더니, 어쩐지 너무 쉽게 넘어간다 싶었습니다."

대대장은 이런 급박한 상황에서도 장난스럽게 말하는 올란도가 때려죽일 만큼 얄미웠다. 하지만 지금은 부하를 질책하기보다, 현재의 위기 상황에서 빨리 벗어나는 게 급선무였다. 그렇기에 대대장은 애써 짜증을 가라앉히며 올란도에게 물었다.

"뭐 좋은 대처 방안이라도 있나?"

"일단 첫 번째 방벽으로 되돌아가서 전열을 재정비하는 게 낫겠습니다. 현재 우리 대대에는 공성장비(攻城裝備)가 전혀 준비되어 있지 않으니까요."

한 치의 빈틈도 허용하지 않고 완벽하게 길을 틀어막고 있는 방벽. 몬스터들을 막기 위해 건설해 놓은 첫 번째 방벽에 비한다면야 아무래도 좀 부실해 보이는 건 사실이었지만, 막상 공격하려는 생각을 가지고 바라보니 도저히 엄두가 나지 않는 것도 사실이었다.

"이런 망할! 루니엘 이 자식은 먼저 가서 자리를 잡았으면 제대로 지켜내야 할 거 아냐."

결국 대대장은 분노를 터뜨렸다. 사기가 저하될까 주위에 있는 부하들을 향해 분노를 터뜨릴 수 없었기에, 그는 죽은 루니엘을 향해 욕설을 퍼부을 수밖에 없었다.

"대대장님, 어떻게 할지 명령을 내려 주십시오."

대대장은 어쩔 수 없이 후퇴를 명령했다. 다시 되돌아가든지, 아니면 저쪽 방벽으로 돌아가 충차(衝車)라도 만들어 공성전을 펼치든지 할 생각이었다. 화살이 날아오는 숫자로 봤을 때, 적병의 숫자가 열 명도 채 되지 않는 것 같았으니까.

"모두 후퇴하라!"

붉은 전갈 용병단 내에서도 정예로 꼽히는 부대답게 계속 화살이 날아오는데도 대원들은 일사불란하게 후퇴하기 시작했다. 아마 자기 한목숨이나마 살겠답시고 허겁지겁 내빼려 들었다면 낭떠러지 밑으로 떨어져 피떡이 되는 대원이 속출했었으리라.

적의 사격은 그리 오래 지속되지는 않았다. 이쪽에서 후퇴하기 시작한 후 얼마 지나지 않아 적이 사격을 멈춘 것이다. 화살을 쏴 봤자 전혀 먹혀들지 않았기에 사격을 멈췄을 수도 있었지만, 대대장은 그걸 다르게 판단했다.

"화살 보유량이 그리 많지 않은 모양이군."

올란도가 그 말에 눈살을 찌푸리며 급히 물었다.

"이대로 후퇴하지 않고, 공성전을 하실 생각이십니까?"

"당연하지. 열 명도 채 안 되는 적병이 무서워 다른 길로 돌아 갔다는 게 알려지면, 모두들 얼마나 우리를 비웃겠나? 더군다 나 놈들은 화살도 얼마 없는 것 같은데 말이야."

"어차피 기습은 물 건너간 것 같은데, 그냥 평탄한 길로 진격 하는 게 낫지 않겠습니까? 여길 깨부수려면 공성장비를 만드는 데만 최소한 반나절 이상 걸릴 겁니다. 그사이에 적의 지원부대 라도 도착한다면⋯⋯."

하지만 대대장은 자신의 고집을 꺾지 않았다. 아니, 오히려 올란도의 패기 없음을 나무라는 듯 자신의 검집을 손바닥으로 거칠게 두드리며 말을 하였다.

"자네는 고작 몇 명 되지도 않는 적이 무서워 나에게 후퇴를 종용하는 겐가? 게다가 도렌 영지에서 이쪽으로 돌릴 여유 병 력이 얼마나 되겠나? 설혹 지원병이 온다고 하세. 저놈들이 지 금 당장 전서구를 날린다고 해도 지원병이 오려면 최소 하루나 이틀은 족히 걸릴 걸세. 어차피 여기서 우리의 정체가 발각된 이상, 적들이 방비할 틈을 주지 않게 최대한 빨리 이곳을 뚫고 지나가는 수밖에 없단 말이야."

하지만 대대장은 전혀 상상도 하지 못했다. 불행은 아직 끝나 지 않았다는 사실을.

슈우우웅─!

갑자기 날카로운 파공성을 울리며 어디선가 날아온 화살이 가장 선두에서 걷고 있던 대원의 발치에 '푹' 하고 꽂혔다. 처 음에는 뒤에서 날아온 화살인 줄 착각했다. 아니, 그렇게 믿고 싶었다. 하지만 화살이 꽂혀 있는 각도를 보면 이게 어느 쪽에서 날아온 것인지는 뻔했다.

'도대체 언제 적들이 저곳까지?'

갑작스런 상황에 모두들 흠칫 굳어있을 때, 앞쪽에 보이는 첫 번째 방벽 위에서 커다란 외침 소리가 들려왔다.

"항복하라! 너희들은 독 안에 든 쥐다. 반항해 봐야 죽음을 자초할 뿐, 살길은 어디에도 없다. 항복하여 목숨이나마 보전하라. 첫 발은 경고하는 의미에서 너희들의 발치에 쐈지만, 다음에도 그럴 거라는 기대는 하지 말길 바란다."

모두들 경악하여 방벽 위로 시선을 돌렸다. 놀랍게도 방벽 위 성가퀴 사이로 30여 명의 적병들이 빽빽이 들어차 아래쪽으로 활을 겨누고 서 있는 게 보였다. 성가퀴 사이로 사람이 설 만한 장소에는 모두 다 적군들이 들어차 있는 것을 보면, 방벽 아래쪽에도 더 많은 적군이 있을 가능성이 컸다.

난데없는 적의 출현에 모두들 공황상태에 빠져 있었지만 올란도의 얼굴만은 평시와 전혀 변한 게 없었다. 싱글거리며 방벽 위를 바라보고 있던 그는 문득 생각났다는 듯 땅바닥에 꽂혀 있는 화살로 시선을 돌렸다. 어느 무기점에 가든 손쉽게 구입할 수 있는 흔한 형태의 화살이다.

잠시 기억을 더듬어 보는 올란도.

'어, 그리고 보니 조금 전에 습격을 당했을 때 날아왔던 화살도 저렇게 생긴 거 아니었나?'

본진에서 출발하기 전의 작전회의 때, 연대장이 도렌 영지군이 하고 있는 무장이라며 보여 줬었던 적군의 화살은 이런 흔한 형태가 아니었다. 흡사 창이라 착각할 만큼 몬스터 사냥에 특화된 굵고 묵직한 화살이었던 것이다.

잠시 고개를 갸웃거리던 올란도는 한 발자국 앞으로 나서며 적들을 향해 외쳤다.

"너희들은 누구냐? 도렌 영지군은 아닌 것 같은데……."

올란도의 질문에 적군들 중에서 가장 비싸 보이는 장비를 입고 있는 자가 입을 열었다. 방금 전에 항복을 종용했던 사내였다.

"크크, 제법 눈치가 빠른 녀석이로군. 우리는 도렌 영지에 고용된 용병들이다. 피차 칼로 벌어먹고 사는 처지에, 서로 원수진 것도 아닌데 굳이 피를 볼 필요는 없지 않겠나. 이미 승패는 갈렸다. 이런 상황에서 내가 너희들을 꼭 학살해야만 하겠나? 나는 피보다는 돈을 더 좋아하는 사람이야. 그러니 좋게 말로 할 때 항복하는 게 좋을 게다."

적의 말도 일리는 있었다. 포로로 잡으면 몸값을 받을 수 있고, 노획물도 깔끔하게 챙길 수 있다. 하지만 전투가 벌어지게 되면 몸값이 날아가는 것은 물론이고, 노획물의 상태 역시 개판이 되는 것이다. 구멍이 숭숭 뚫린 갑옷을 제값 주고 살 사람은 아무도 없을 테니까.

올란도는 이해할 수 있다는 듯 고개를 주억거리며 다시 질문을 던졌다.

"그건 그렇긴 한데, 우선 자신들의 정체부터 밝히는 게 순서

가 아닐까?"

방벽 위의 사내는 어깨를 으쓱거리며 거만하게 대꾸했다.

"핫핫, 제법 말이 통하는 녀석이군. 항복할 놈에게까지 정체를 숨길 필요는 없겠지. 놀라지 마라. 우리는 그 이름도 드높은 페가수스 용병단이다."

페가수스 용병단이라는 말에 모두의 얼굴에 깊은 절망감이 어렸다. 어쩐지 귀신에게 홀린 듯 손도 못 쓰고 당했다고 생각했더니 다 이유가 있었던 것이다.

하지만 대대장은 적의 말을 믿을 수가 없었다. 아니, 믿고 싶지가 않았다. 상대가 페가수스 용병단이라는 것을 인정하면, 부하들의 사기가 엉망진창이 된다는 것을 잘 알기 때문이다.

"거짓말하지 마라!"

자신도 모르게 적을 향해 큰 소리로 외친 대대장은 부하들을 돌아보며 소리쳤다.

"모두들 속지 마라! 저건 우리의 사기를 떨어뜨리려는 적의 얕팍한 술책이다. 저놈들이 페가수스 용병단일 리가 없지 않느냐. 가난뱅이 도렌 영주에게 무슨 돈이 있어서, 10대 용병단의 하나인 페가수스 용병단을 고용하겠나. 안 그런가?"

대대장의 말에 모두들 공감한다는 듯 고개를 끄덕였다. 그리고 대원들의 얼굴에서 희망이 막 피어나려 할 때였다. 방벽 위에서 다시금 사내의 목소리가 들려왔다.

"우리가 페가수스의 용사라는 것을 못 믿겠다는 거냐? 그렇다면 이걸 봐라."

사내는 페가수스 용병단의 문장이 그려져 있는 깃발을 꺼내들었다. 붉은색의 유니콘이 그려져 있는…….

"믿고 안 믿고는 너희들의 자유다. 하지만 오판에 대한 댓가는 혹독하다는 것을 명심해라."

그는 잠시 뜸을 들였다가 다시금 말을 이었다.

"10분 주겠다. 항복할 것인지, 아니면 이곳에서 죽을 것인지 선택하라."

눈치를 살피고 있던 올란도는 슬그머니 대대장에게로 다가가 입을 열었다.

"아무래도 항복하는 게 좋을 거 같은데요."

올란도의 어이없는 제안에 대대장은 일순 할 말을 잃었다. 어떻게 해서든지 부하들을 다독이며 현재의 위기 상황을 돌파해 나갈 의지를 불태워야 할 고위급 장교가 이렇게 쉽게 항복을 입에 담다니. 아무리 자신들이 용병이라고는 하지만, 이건 너무 심하지 않은가.

"그게 지금 중대장인 자네 입에서 나올 수 있는 소리인가?"

하지만 올란도는 그게 뭐 어떠냐는 듯 심드렁하게 대꾸했다. 마치 지금 이곳에서 일어나고 있는 일들이 남의 일이라도 된다는 듯한 말투다.

"현실을 직시한 조언입니다, 대대장님. 아무리 궁리해 봐도 앞뒤로 포위당해 도저히 빠져나갈 방도가 없는데 그럼 어쩌란 말입니까? 괜히 반항하다 헛되이 목숨을 잃는 것보다는 그냥 깔끔하게 항복하죠. 단장님께서는 우리들의 몸값을 흔쾌히 지불해 주실 겁니다."

대대장은 끓어오르는 분노를 참을 수가 없다는 듯 거친 목소리로 소리쳤다.

"이런 개 같은 자식! 아무리 용병이라지만 최소한 지켜야 할 도리라는 게 있는 거다. 게다가 간부라는 놈이 위험에 처했다고, 곧바로 항복하자는 소리나 주절거리다니……."

"쯉. 단장님께서는 우리가 도리를 지킨답시고 전멸당하는 것보다, 몸값을 지불하더라도 살아 있는 걸 더 기뻐하실 겁니다."

결국 분노가 극에 달한 대대장은 허리춤에 차고 있던 칼을 거칠게 뽑아 들었다. 그리고 칼끝을 올란도의 코앞에 겨누며 으르렁거렸다.

"그게 아니라 네놈이 살고 싶은 거겠지. 겁먹은 개새끼와 같은 네놈과 날 동류로 취급하지 마라. 알겠냐? 이 비겁하기 짝이 없는 자식아."

자칫 목이 날아갈 상황임에도 올란도의 표정은 너무나도 태평스러웠다. 그는 자신의 코앞에 겨누어진 대대장의 칼끝을 손가락 끝으로 옆으로 쓱 밀어내며 태연자약하게 대꾸했다. 그리고 그런 행동이 대대장의 분노를 더욱 끓어오르게 했다.

"제가 비겁하다구요? 좋습니다. 그럼 무슨 수로 저 엄청난 방벽을 뚫고 나갈 겁니까? 하다못해 방벽 위로 올라갈 사다리는커녕, 문을 부술 통나무 조각조차 하나 없는데 말입니다."

이때 옆에서 두 사람의 대화를 듣고 있던 제3중대장 오웬이 끼어들었다.

"우리와 합류하지 못하고 뒤처진 레인저가 네 명이나 있지 않소? 아마 적들의 후방 어딘가에 숨어 있을 게 분명하오. 지금이야 적의 숫자가 많으니 공격할 엄두를 내지 못하고 있겠지만, 밤이 되면 얘기가 달라지지 않겠소? 그때를 기다려 봅시다."

"허, 정말 바랄 걸 바래야지. 아무리 레인저라고 하지만, 상대는 페가수스 용병단이란 말이야. 게다가 꼴랑 4명이서……. 적은 대충 봐도 30여 명이 넘을 것 같은데 뭘 어쩌라고? 저놈들이 승리를 자축하며 밤늦게 술이라도 처마신다면 혹 모를까. 당최 말이 되는 소리를 해야지."

그렇다. 아직 방벽 저 뒤편에는 4명이나 되는 레인저가 남아있다. 비아냥거리는 올란도의 말에는 신경조차 쓰지 않으며 대대장은 주먹을 불끈 쥐었다. 레인저는 일반 대원들과는 비교가 안 될 정도로 뛰어난 능력을 보유한 자들이다. 비록 숫자가 많이 차이가 나긴 하지만, 이쪽에서 적당히 적의 시선을 붙잡아 둘 수만 있다면 어떻게든 방법이 생길 것만 같았다.

현 상황을 돌파할 수 있는 희망이 보이자, 대대장은 힘찬 목소리로 결론을 내렸다.

"오웬의 말대로 밤까지 기다리기로 하겠다. 전 대원들은 뒤로 물러나 방패벽을 쌓아……."

이때, 아직까지 항복하지 않고 버티는 적의 모습이 답답했던지 방벽 위의 사내가 비아냥거리는 목소리로 외쳤다.

"혹시 마냥 버티고 있으면 본대에서 구원병이라도 보내 줄 거라고 생각하고 있는 건 아니겠지? 그런 개꿈은 지금 당장 버려

라. 너희들이 믿고 있는 본대는 두 시간 전에 이미 전멸했다. 다시 한 번 말하겠다. 너희들의 본대는 이미 전멸했다. 그러니 너희들도 각자 살길을 찾도록 해라.”

“본대가 전멸당했다고?”

그 말에 모두들 당황해 어쩔 줄 몰라 하는 순간, 올란도에게서 풍겨 나오던 분위기가 갑자기 싸늘하게 바뀌었다. 언제나 염세적인 시선으로 세상을 바라보며 술과 여자를 탐닉하는 모습만 보여 주던 인물이었는데…….

“그게 사실인가?”

올란도의 무겁게 느껴지는 말투에 사내는 혀를 차며 대답했다.

“쯧쯧, 마음만 먹으면 언제든 전멸시킬 수 있는 네놈들에게 내가 굳이 거짓말을 할 필요가 있을까? 하다못해 이 상태로 포위만 하고 있어도, 결국 항복할 수밖에 없는 너희들인데 말이야. 내 말이 틀렸나?”

사내의 말에 대대장이 뭐라 대꾸하려고 할 때, 올란도가 이를 제지하며 큰 소리로 물었다. 그의 목소리는 왠지 가늘게 떨리고 있었다.

“연대장님은…, 연대장님은 어떻게 되셨나?”

올란도의 물음에 사내는 조롱기 어린 어조로 대꾸했다.

“너희들의 대장은 이미 죽었다. 이런 말까지 하게 되어 좀 그렇긴 하지만, 목을 잘라 장대 높은 곳에 걸어 놨다고 하더군. 그러니 너희들도 그런 꼴을 당하고 싶지 않다면…….”

팟!

바로 그 순간, 사람들은 자신의 눈을 의심했다. 방금 전까지 자신들의 눈앞에 서 있던 올란도가 갑자기 사라져 버렸기 때문이다.

"저…, 저기다!"

누군가 손가락으로 가리킨 방향. 그건 항복을 종용한 사내가 서 있는 방벽이 있는 쪽이었다. 그쪽으로 시선을 돌린 대원들은 볼 수 있었다. 무시무시한 속도로 달려가고 있는 올란도의 뒷모습을.

올란도는 끓어오르는 분노를 도저히 참을 수가 없었다. 웬만하면 자신의 정체를 드러내지 않고 살려고 했었는데……. 그런데 자신이 존경해 마지않던 연대장의 목을 잘라 장대 끝에 매달아 놨다는 말을 듣자 도저히 이성을 유지할 수가 없었던 것이다. 어느새 그의 두 눈은 짙은 살기(殺氣)로 번들거리고 있었다.

"이런 개새끼들! 다 죽여 버리겠어!"

올란도는 지금껏 철저하게 방관자로 살아왔다. 이곳은 자신이 살아야 할 세상이 아니었기에. 왕궁이 불타오를 때, 그곳에서 명예롭게 죽었어야 했다. 왕과 함께……

하지만 지금 그는 그 모든 것을 잊고 있었다. 그의 뇌리를 지배하고 있는 것은 오직 미칠 듯한 분노뿐이었다.

"뭐, 뭐야! 멍청하게 보고 있지 말고 쏴! 활을 쏘란 말이다!"

당황한 사내가 부하들을 질책하는 한편 그 자신도 직접 활시위를 뒤로 당기려고 할 때, 올란도는 어느새 방벽을 뛰어넘고 있는 중이었다. 그 순간, 사람들은 자신의 두 눈을 의심했다. 인간이 저렇게 높은 거리를 도약할 수가 있다니…….

"적은 한 놈뿐이다. 죽여!"

"으아악!"

곧이어 방벽 위에서 처절한 비명 소리가 연이어 터져 나오기 시작했다. 하지만 밑에서 어리둥절한 표정으로 바라보고 있던 제7독립대대원들은 이런 갑작스런 상황에 모두들 얼이 빠져 있을 뿐, 올란도를 도와줄 생각은 전혀 하지 못하고 있었다. 하기야 그럴 정신이 있는 인물이 있다고 해도, 사실상 그들이 올란도를 도울 방법은 전혀 없었지만 말이다.

모두가 입만 쩍 벌리고 있을 뿐, 아무런 생각조차 하지 못하고 있을 때였다. 갑자기 끼이이익! 하는 요란한 소음을 내며 방벽의 문이 열렸다. 그것을 보고 사람들은 정신을 차렸다. 입만 헤 벌리고 구경하고 있을 때가 아닌 것이다.

대대장은 급히 제3중대장 오웬에게 지시했다.

"빨리 부하들을 이끌고 올라가. 올란도를 지원해 주도록 하게."

"옛!"

제3중대가 가장 앞에 서 있었기에 이런 지시를 받게 된 것이다. 오웬은 부하들을 둘러봤다. 모두들 긴장한 표정이 역력했다. 방벽의 문이 열리기는 했지만, 그걸 누가 열었는지를 알 수가 없는 게 문제인 것이다.

올란도일까? 아니면 적일까?

오웬은 자신도 모르게 침을 꿀꺽 삼켰다. 애써 마음을 다잡으며 허리에서 검부터 뽑아 들었다. 검을 들고 나니 마음이 안정된다. 그는 대원들을 향해 큰 소리로 외쳤다.

"전원 발검(拔劍)!"

대원들이 검을 뽑아 들자마자 오웬은 앞장서서 달려가며 외쳤다.

"전원 나를 따르라!"

"우와아아아!!"

모두들 방패로 몸을 가린 채 비탈길을 뛰어서 올라가기 시작했다. 하지만 예상과는 달리 오웬과 대원들이 살짝 열려진 방벽문 앞에 도착할 때까지 적의 화살 공격은 없었다.

오웬은 긴장감에 입술을 질끈 깨물며 방패로 몸을 확실히 방비한 뒤 문 안으로 뛰쳐 들어갔다. 하지만 문 안쪽에 들어서자마자 오웬의 발걸음이 뚝 하고 멈추었다. 그건 뒤따라 들어오던 그의 중대원들 역시 마찬가지였다.

멍한 표정으로 주위를 둘러보는 대원들. 사위는 정적으로 가득 차 있었고, 보이는 것은 온통 시체들뿐이었다.

"어떻게 이럴 수가……?"

적들이 무기를 꼬나들고 자신들을 죽이겠다고 달려들 줄 알았는데……. 주위를 둘러보던 오웬의 눈에 올란도의 모습이 들어왔다. 그는 나무 밑둥에 걸터앉아 뭔가를 생각하고 있는 듯했다. 언제나 경박하다는 생각이 들 정도로 말과 행동이 가벼워 내심 경멸하던 올란도였는데, 지금은 감히 말조차 걸기 힘들 정도로 진중한 분위기를 풍기고 있었다.

고개를 돌려 보니 그의 중대원들 역시 자신과 같은 생각인지, 도저히 믿기지 않는다는 시선으로 올란도를 바라보고 있었다.

하기야 그럴 수밖에 없으리라. 조금 전의 인간 같지 않은 몸놀림, 그리고 그 짧은 시간에 적들을 도륙해 놓은 이 모습. 이 모든 게 설명해 주고 있었다. 지금껏 그들이 '발정난 여우'라며 씹어댔던 올란도가 사실은 그래듀에이트급의 초강자라는 것을.

오웬은 인상을 왈칵 일그러트리며 중대원들을 향해 소리쳤다.

"지금 멍하니 서 있는 놈들은 뭐야! 빨리 주변을 샅샅이 살펴보도록 해. 혹, 살아 있는 적이 있는지 말이야."

명령이 떨어지자마자 중대원들이 방벽 여기저기로 뿔뿔이 흩어졌다.

오웬은 다시 한 번 올란도를 바라봤다. 자신이 내심 경멸하며 비웃던 사내 덕분에 오늘 목숨을 건졌다. 그렇다면 감사한 마음이 들어야 할 텐데, 이해할 수 없게도 뭔가 불쾌한 기분이 스멀스멀 가슴을 채우며 올라왔다.

저 정도의 실력자라면 이런 하찮은 용병단에 있을 이유가 없다. 그럼에도 실력을 숨긴 채 실실 웃으며 난봉꾼 짓이나 하며 살다니……. 아마 저놈은 분명 자신을 비웃는 사람들을 속으로는 같잖게 생각하며 비웃고 있었으리라.

"젠장, 아무리 봐도 정말 재수 없는 새끼로군."

이런 상황에서도 오웬이 올란도를 삐딱하게 볼 수밖에 없었던 것은, 그 또한 올란도에게 애인을 뺏긴 뼈아픈 과거를 지닌 남자들 중 한 명이었기 때문일 것이다.

이때, 대대장이 부대원들을 이끌고 방벽 안으로 진입해 들어왔다. 오웬은 대대장에게로 달려가 현재 상황을 간략히 보고했다.

"적병들은 모두 전멸한 것 같습니다. 일단 대원들에게 주위를 샅샅이 수색하라는 지시를 내렸……."

대대장은 아무 말 없이 손짓으로 오웬의 입을 막았다. 사방에 흩어져 있는 적병들의 시체를 대충 훑어보는 것만으로도 이곳에서 어떤 일이 벌어졌는지 충분히 알 수 있었다. 더 이상 무슨 말이 필요하겠는가. 저런 강자가 동료로 있는데…….

그는 곧바로 올란도에게 다가가 살짝 머리를 숙이며 말했다.

"신세를 졌습니다."

깍듯하게 감사의 뜻을 표시하는 그의 목소리와 표정에는 짙은 경외감(敬畏感)이 어려 있었다. 그래듀에이트씩이나 되는 강자가 자신의 눈앞에 있다는 게 그저 놀라웠던 것이다.

지금 생각해 보니 능구렁이 같은 단장이 경박하기 짝이 없던 올란도를 그렇게 감싸 줬던 게 다 이런 이유 때문인 모양이다. 단장이라면 올란도의 숨겨진 정체를 이미 알고 있었을 테니까.

하지만 올란도는 지금까지와는 달리 씁쓸한 미소를 지으며 입을 열었다.

"신세라니요? 제가 할 일을 한 것뿐입니다. 그리고 말씀 놓으십시오. 대대장님께서는 제 상관이 아니십니까."

"그, 그래도……."

용병들의 세계는 철저한 강자지존의 세계다. 자신보다 훨씬 강자인 올란도가 말을 놓으라고 해도 그게 쉽지만은 않은 일이었다. 입장이 곤란해지자 대대장은 채 말을 잇지 못하며 뒤통수를 긁적거렸다.

그런 대대장의 모습에 올란도는 고개를 돌려 시체들 중 하나를 손가락으로 가리키며 말했다.

"저기 저 시체가 보이십니까? 다른 적병들과는 달리, 간편한 복장을 하고 있는 시체 말입니다."

올란도의 말에 손가락이 가리키는 방향으로 고개를 돌렸던 대대장은 곧 눈살을 찌푸렸다. 처참한 모습의 시체가 눈에 띄었기 때문이다. 다른 시체들은 목이 베이거나 몸통이 잘린 정도가 전부였는데, 그 시체만은 기이한 각도로 손발이 뒤틀려 있었고, 얼마나 고통에 발버둥쳤는지 주위가 온통 피로 붉게 물들어 있었다. 마치 극심한 고문이라도 당한 것처럼…….

"마법사였습니다."

순간 대대장의 눈이 놀라움으로 왈칵 커졌다.

"마법사? 겨우 1개 중대 병력밖에 안 되는 것 같았는데……."

"페가수스 용병단씩이나 되니 그럴 수도 있겠죠. 어쨌거나 저놈이 마법을 쓰려는 것을 일찍 눈치채고 막았기에 망정이지, 안 그랬으면 놓쳤을 겁니다."

그러고 보니 시체의 손목 부근이 잘려져 땅바닥에 나뒹굴고 있었다. 잘린 손목에 붙어 있는 손가락 중 하나에는 은색의 반지가 끼여 있었다. 아마 탈출용으로 끼고 있던 마법반지의 사용을 막기 위해 손목을 자른 모양이었다.

"주변을 정리한 다음, 저 녀석을 붙들고 심문을 했습니다. 순순히 다 털어놓더군요."

"……."

대대장은 그 말이 새빨간 거짓이라는 것을 뻔히 알고 있었다. 순순히 다 털어놓았는데 저렇게 걸레쪽이 될 리 없었으니까. 하지만 그는 아무런 반론도 제기하지 않고 묵묵히 다음 말을 기다렸다.

"본대가 패배한 것은 사실인 모양입니다. 그리고 연대장님께서 돌아가신 것도 말입니다."

"적의 규모는 얼마나 된다고 하던가?"

"겨우 1개 대대밖에 안 된답니다."

너무 적은 병력에 대대장은 아연해질 수밖에 없었다.

"1개 대대밖에 안 된다고? 그런데 어떻게 본대가 패배를 당했지……?"

"그만큼 뛰어난 인물들을 파견한 것이겠죠. 우리도 여기서 몇 명 되지도 않는 놈들에게 항복할 뻔했지 않았습니까?"

대대장은 좀 전의 아찔했던 상황이 떠오르자, 몸을 부르르 떨며 순순히 인정했다.

"그건 그렇군. 만약 자네가 아니었다면 우리도 꼼짝없이 당했겠지."

"이런 상황에서 예정대로 적의 뒤를 기습하겠다는 건 무리라고 생각됩니다. 놈의 자백에 의하면 이미 우리의 기습을 적이 눈치채고, 요새지대에 1개 대대급의 병력을 배치해 뒀다고 하더군요.”

“그 정도 병력쯤이야 문제가 되겠나. 자네가 있는데…….”

하지만 이런 대대장의 기대는 말을 꺼내기가 무섭게 여지없이 무너졌다.

“죄송합니다만, 저는 여기서 따로 움직일까 합니다.”

그 말에 대대장의 얼굴에는 아연실색한 기색이 역력했다. 그래듀에이트급인 올란도와 함께한다면 반격의 기회를 엿볼 수도 있겠지만, 그가 없다면 작전 자체를 취소해야 할 상황이었기 때문이다.

“따로 움직이겠다니, 그게 대체 무슨 말인가?”

“연대장님의 시신은 되찾아야 하지 않겠습니까.”

혼자 적진에 침투하여 연대장의 시체를 탈환해 오겠다는 말에 대대장은 차마 반론을 제기할 수 없었다. 올란도는 무심한 눈빛으로 대대장을 바라보며 계속 말을 이었다.

“대대장님은 본대로 회군하시든지, 아니면 메르헨 영지로 돌아가 다른 용병대와 힘을 합치도록 하십시오. 이 일대 지리에 밝은 적들을 상대로 싸워 봐야 좋을 게 전혀 없으니까요.”

“그, 그건 그렇지만 자네만 도와준다면…….”

“그럼 저는 이만 가 보겠습니다.”

“이, 이보게. 잠깐 내 말 좀 들어 보는 게…….”

자신을 급하게 붙잡으려는 대대장에게 아무 대꾸도 하지 않고 그 자리를 벗어난 올란도는 제2소대장인 론도를 찾아갔다.

"이봐, 론도."

올란도의 놀라웠던 신위를 두 눈으로 똑똑히 본 론도였다. 그런 엄청난 실력자가 자신의 중대장이라는 사실에 론도는 기합이 바짝 들었다.

"옛, 중대장님!"

"나는 지금부터 따로 움직일 거야. 내가 없는 동안 자네가 선임 소대장으로서 중대원들을 잘 이끌어 주길 바라네. 알겠나?"

"아, 옛! 걱정 마십시오!"

"그럼 부탁하네."

간뎅이 작은 드래곤

32

불완전한 각성

도렌 쪽 방벽에 포진하고 있던 페가수스 용병단의 레인저들은 아무리 기다려도 철수하라는 신호가 없자 당혹감을 감추지 못했다.

적들이 후퇴한 후 꽤나 많은 시간이 흘렀다. 그렇다면 이미 적들은 전멸됐거나 항복하여 굴비 엮듯이 줄줄이 묶여 있을 것이다. 설혹 몇 놈이 튀었다고 하더라도 이쪽으로 왔다면 자신들의 눈을 벗어날 수가 없다. 방벽과 방벽 사이의 길은 외줄기로 다른 곳으로 갈 수도 없었으니까.

그런데 작전이 끝나 철수하라는 신호가 골백번쯤은 올라오고도 남을 정도의 시간이 흘렀는데도, 반대편 방벽에서는 지금껏 아무런 신호도 없는 것이다.

"왜 아직까지 연락이 없는 거지? 기다리기 엄청 지루하구먼."

선임 레인저가 투덜거리자 옆에서 육포를 질겅질겅 씹고 있던, 구레나룻을 덥수룩하게 기른 털보 사내가 대꾸했다.

"뭐, 일이 많다 보면 깜빡 잊어버릴 수도 있겠지. 우리 병력보다 4배 이상이나 되는 포로를 붙잡았으니……."

각 소대에서 차출되어 임시로 조를 짜게 되었지만, 소속 중대가 같은 만큼 서로를 모를 리가 없다. 원활한 작전 수행을 위해 가장 나이가 많은 사람이 지휘를 맡고 있긴 했지만, 평소 하던 대로 격 없이 대화를 나누고 있는 중이다.

"말이 되는 소리를 해라, 새꺄! 잊어버릴 게 따로 있지……."

방벽과 방벽 사이의 거리는 꽤나 멀리 떨어져 있었다. 그렇기에 이곳에서 반대편 방벽이 보이기는 했지만, 깨알처럼 작게 보이는 정도였다.

한참 전에 적병들이 방벽 안으로 우루루 몰려 들어가는 것을 보며, 그들은 적들이 항복을 했다고 생각하고 있었다. 그렇다면 작전은 이미 깔끔하게 끝난 셈인데, 왜 철수 신호를 보내지 않는 건지 의문이 들 수밖에 없었다.

모두들 짜증스러운 눈빛으로 반대편 방벽을 쳐다보고 있을 때, 레인저들 중에서 한 명이 자리에서 일어났다.

"아무래도 이상해. 내가 가 볼게."

"그래, 수고해라. 나중에 한잔 사지."

한참의 시간이 지난 후, 레인저들은 반대편 방벽 위쪽에 모습을 드러낸 동료의 모습을 볼 수 있었다. 깨알처럼 작았지만, 상대가 보내는 수신호를 알아보는 데는 아무런 불편함이 없었다.

선임 레인저는 얼굴을 굳히며 딱딱한 어조로 외쳤다.

"비상사태다!"

허겁지겁 반대편 방벽으로 달려온 레인저들은 먼저 와 있던 동료에게 물었다.

"어떻게 된 일이야?"

"빨리 와서 여기 좀 봐."

앞서 이곳에 와 있던 레인저는 동료들이 도착하자마자 그들을 데리고 방벽 가장자리로 가서 땅바닥 한쪽을 가리켰다. 그곳에는 검붉은 얼룩이 땅을 흠뻑 적시고 있었다. 코를 대고 냄새를 맡아보면 피비린내가 확실했다.

선임자의 안색이 딱딱하게 굳어 갔다. 작전대로라면 지금쯤 이곳에는 적의 포로들로 시끌벅적해야 한다. 그런데 포로가 되어 있어야 할 적의 모습은 흔적도 없고, 아군의 모습조차 보이지 않는다. 게다가 전투가 벌어졌는지 방벽 여기저기에는 혈흔만이 가득했다. 뭔가 예상치 못한 일이 벌어진 것이다.

"방벽 주위를 샅샅이 수색해!"

"알았어."

"그리고, 브라운! 자네는 갈림길이 있는 곳까지 나가 봐. 어떤 다른 흔적이 있는지 말이야."

"알았네."

특수훈련을 받은 자들인 만큼, 방벽 주위를 샅샅이 수색하는 데는 그리 오랜 시간이 걸리지 않았다.

"이봐! 모두들 이쪽으로 와 봐!"

레인저들은 수색을 중단하고 목소리가 들려온 방향으로 달려갔다. 털보라 불리는 레인저가 절벽 아래쪽을 손가락으로 가리키며 외쳤다.

"저 아래쪽에 시체가 몇 구 있어. 아군인 것 같기는 한데, 그래도 내려가서 확인해 보는 게 좋지 않을까?"

선임자는 그럴 필요가 없다는 듯 고개를 흔들었다.

"너는 오줌인지 맥주인지 꼭 찍어서 먹어 봐야 직성이 풀리냐? 정황으로 미뤄 봤을 때 아군일 게 뻔하잖아."

"그렇겠지. 그런데 어떻게 이런 일이 벌어진 거지?"

그들은 작금의 이 사태를 도저히 이해할 수가 없었다. 어떻게 포위를 한 상태에서 오히려 적에게 당할 수가 있단 말인가. 더군다나 철옹성 같은 방벽을 근거지로 삼는데 말이다. 게다가 자신들의 중대장인 페델은 단 한 치의 빈틈도 허용하지 않는 완벽주의자였다.

'어쩌면 우리가 확인하지 못한 또 다른 부대가 있었을 수도 있어.'

그것 외에는 현 상황을 설명할 수 있는 다른 이유가 없었다. 하지만 짐작은 짐작일 뿐, 정확한 정보가 필요했다. 선임 레인저는 마음을 굳혔는지 한 명을 손가락으로 가리키며 지시를 내렸다.

"넌 본대로 돌아가서 대대장님께 현 상황을 그대로 보고해."

"설마 이 인원으로 적들을 추격하려는 거야?"

선임 레인저는 굳은 표정으로 고개를 끄덕였다.

"적의 1개 대대 병력이 어딘가로 사라졌어. 어쩌면 그 이상의 병력이 있을 수도 있고 말이야. 확인해야지, 그리고 우리를 건든 것에 대한 댓가를 톡톡히 받아 내야지!"

적의 정확한 인원과 위치만 파악할 수 있다면 미하엘 대대장이 알아서 동료의 복수를 해 줄 것이다. 그만큼 그는 부하들이 신뢰하고 따르는 인물이었다.

＊　　　＊　　　＊

 주위에서 쏟아지고 있는 부러워하는 듯한(어떤 의미에서는 탐욕 어린) 시선에 브로마네스는 짜릿한 쾌감을 느끼고 있었다. 이 맛에 유희를 즐기는 게 아니겠는가.

 지금 그가 입고 있는 갑옷은 이번 전투에서 노획한 것들이었다. 멋진 흉갑(胸甲)과 허벅지 보호판, 무릎 보호판 등등…….

 특히 흉갑의 경우, 브로마네스의 무지막지한 공격을 몇 번씩이나 튕겨내 버렸을 정도로 튼튼하면서도 섬세한 문양이 아름답게 새겨져 있는 뛰어난 명품이었다.

 이 갑옷의 전 주인은 적의 공격이 흉갑 부위를 향하고 있다는 판단이 서면, 적의 공격을 막는 대신 곧바로 공격을 감행했었다. 갑옷의 방어력을 확신하지 않고서는 감히 실행하기 힘든 행동이었다. 하지만 그 효과는 절대적이었다.

 이 흉갑 때문에 브로마네스는 몇 번씩이나 가슴이 철렁할 정도로 위험한 상황에 처해야 했다. 만약 자신의 검에 적의 공격을 자동적으로 차단해 주는 마법이 걸려 있지 않았다면, 싸늘한 시체가 되어 땅바닥에 나뒹굴고 있는 것은 적장이 아니라 자신이었으리라.

전투가 끝난 직후, 브로마네스는 노획했던 모든 물품들을 압수당했었다. 공격 명령이 떨어지기도 전에 멋대로 공격을 감행했다는 죄 때문이다. 하지만 대대장 미하엘의 관용 덕분에 노획품을 돌려받을 수 있었다. 그게 적장의 목을 벤 것에 대한 미하엘이 내린 상급(賞給)이었다.

미하엘의 막사로 찾아간 브로마네스는 군례를 올리며 말했다.

"그렉 크레스터, 대대장님의 부르심을 받고 왔습니다."

그렇지 않아도 미남인 브로마네스가 화려한 갑옷까지 걸치고 있자 귀공자가 따로 없었다. 순간, 미하엘은 그때 명령불복종의 죄를 물어 크레스터의 목을 베어 버릴 걸 하는 생각이 문득 들었다. 녀석을 죽였다면 이 갑옷은 자신의 것이 되었을 테니까…….

잠시이기는 했지만, 미하엘 같은 사람의 마음까지 탐욕으로 뒤흔들어 났을 정도로 브로마네스가 노획한 갑옷은 엄청난 물건이었다.

미하엘은 고개를 절레절레 흔들며 당시 결정을 내리기 전에 이 갑옷을 보지 못했던 것을 다행이라고 생각했다. 아마 갑옷을 본 다음이었다면 부하들에게 손가락질을 당하더라도 녀석의 목을 베어 갑옷을 차지하려 했을지도 몰랐으니까.

"귀관에게 맡길 임무가 있어서 불렀다."

"어떤 임무든 맡겨만 주십시오!"

자신감이 넘치는 브로마네스의 대답에 미하엘은 피식 웃다가, 곧 침중한 표정으로 제352중대와의 연락이 끊겼음을 말했다. 특수 임무를 수행하기 위해 출동했는데 정기 연락시간이 한참이나 지났음에도, 아직까지 마법통신이 들어오지 않고 있다는 것이다.

작전을 수행할 때 용병들이 최우선적으로 보호해야 할 사람이 바로 마법사였다. 그런 마법사가 마법통신을 보내지 못할 상황에 처해 있다면, 뭔가 심각한 일이 벌어졌음이 틀림없으리라.

"원래 이런 일은 레인저에게 맡겨야 하겠지만, 지금 그들은 패잔병들을 추격하여 섬멸하기 위해 모두 동원되어 있는 상태라서 말이야."

그건 레인저들뿐만이 아니었다. 대대원 전체가 패퇴하는 적들을 추격해서 소탕하느라 정신이 없었다.

전체적인 병력만 따진다면 아직까지도 메르헨 영지 쪽이 압도적인 우위에 있는 상태다. 갑작스런 지휘 체계 붕괴로 인해 적이 혼란에 빠져 우왕좌왕하고 있는 이 상황을 최대한 이용해야만 했다. 만약 적에게 조금이라도 시간 여유를 줬다가는 전열을 재정비하여 반격해 올 수도 있는 것이다.

그렇지 않아도 패잔병 잔챙이들을 상대하느라 은근히 짜증났던 브로마네스였다. 그가 원한 건 적군들 사이에 필마단기로 뛰어들어 적장의 목을 베는 것이지, 반항할 엄두도 내지 못한 채 도망치기 바쁜 적병들을 학살하는 게 아니었다. 겁에 질린 호비트를 죽이는 거야 지금까지 수도 없이 해 왔던 짓거리였으니까.

이런 쓸데없는 짓 하느라 시간 낭비를 하기보다, 아름다운 여인을 옆에 끼고 시원한 맥주라도 한잔하고 싶었다. 자신에게 큰 즐거움을 선사했던 적장을 회상하면서…….

그리고 땀 냄새 가득한 머리카락과 얼굴도 좀 깨끗하게 하고 싶었다. 호비트들이 볼 수 없는 옷의 안쪽은 마법을 이용하여 청결하게 유지할 수가 있었지만, 겉모습까지 그렇게 할 수는 없었다.

더군다나 동료라는 놈들의 몸에서 풍겨 나오는 지독한 악취. 무거운 갑옷을 착용하고 뛰어다니며 칼까지 휘둘러 대니 온몸이 땀에 찌들지 않을 수 없었다. 야지(野地)를 돌아다니다 보니 제대로 씻지도 못하는 상황, 정말이지 코를 잘라내고 싶을 정도다.

거기에다가 오늘처럼 치열한 전투가 진행되는 상황에서는 악취가 더욱 심해진다. 격전을 벌이는 상황에서 대소변이 마렵다고 해서 뒤로 도망칠 수는 없지 않겠는가. 소변이건 대변이건 그냥 싸 버리며 싸우는 수밖에…….

그렇기에 임무를 주겠다는 미하엘의 명령은 브로마네스에게 아름다운 음악처럼 들렸으리라.

"최선을 다하겠습니다."

미하엘은 탁자 위에 미리 써 둔 명령장을 건네주며 말했다.

"상황이 급박한 듯하니 지금 즉시 출발하도록 하게."

명령장을 본 브로마네스의 얼굴에 일순 난감한 표정이 떠올랐다. 소대 전체가 출동하는 것으로 써져 있었기 때문이다. 만약 부하들을 데리고 가면 그들의 이목 때문에 자신의 행동이 제

약을 받게 된다. 그렇기에 브로마네스는 필사적으로 변명거리를 생각해 낸 뒤 짐짓 침중한 얼굴로 입을 열었다.

"제 부하들이 이번 전투에서 몇 명 살아남지도 못한 데다, 다들 상처가 너무 심해서 말입니다. 차라리 저 혼자 임무를 수행하면 안 되겠습니까?"

"흠. 상황을 알아보러 가는 거니 혼자라도 상관은 없지만, 아무래도 위험할 텐데……."

산속에서 몬스터를 만날 위험도 있고, 무엇보다 사방으로 흩어진 패잔병들과 맞닥트려 전투가 벌어질 확률도 높았다. 제아무리 실력이 좋아도 쪽수에는 당할 도리가 없는 것이다. 그렇기에 미하엘은 차마 브로마네스의 요청을 승낙하지 못하고 걱정스러운 눈빛으로 바라봤다.

"상처를 입은 부하들을 데리고 가는 게 더 위험합니다. 상처에서 풍기는 피냄새를 맡고 몬스터들이 몰려들 우려도 크지만, 돌발상황이 벌어졌을 때 제대로 보탬도 되지 않을 게 뻔하지 않습니까."

"그렇게까지 말하니 어쩔 수 없군. 하지만 따로 지원해 줄 수 있는 병력은 없다네."

"걱정 마십시오. 적장도 단칼에 벤 제가 아닙니까."

"그래, 그럼 부탁함세."

브로마네스의 호언장담에 미하엘은 미소를 지었다. 목숨 아까운 줄 모르고 무모하리만큼 호기를 부리는 간 큰 사내를 보는 것이 실로 오랜만이었기 때문이다.

'흠, 제법 마음에 드는 놈이군. 하지만 저런 놈일수록 일찍 뒈지는 법이지. 제발 오래 살아남아야 할 텐데…….'

브로마네스는 미하엘의 막사에서 나오자마자 급히 자신의 말을 찾아 진지 바깥으로 달려 나갔다. 오랜만에 얻은 자유인데, 혹시 미하엘의 마음이 바뀌어 임무를 변경할까 두려웠기 때문이다.

"이럇!"

이번 임무를 끝마칠 때까지 주위 눈치를 보지 않고 마음 내키는 대로 할 수 있다는 사실에 브로마네스는 신이 났다.

한참 말을 달리던 브로마네스는 검집 윗부분에 달려 있는 동그란 수정판을 들어 올렸다.

수정(水晶)은 주머니 사정이 넉넉하지 못한 검사들이 자신의 애검을 장식하는 데 즐겨 사용하는 재료였다. 하지만 브로마네스가 자신의 검집에 굳이 수정판을 붙인 이유는 따로 있었다. 그건 바로 통신용이었던 것이다.

"흐흐, 아르티어스 나와라."

잠시 후, 아르티어스의 모습이 수정판에 나타났다. 시큰둥한 얼굴만 봐도 현재 그의 심기가 어떠한지는 충분히 짐작할 수 있었다.

"무슨 일이야?"

"바쁘냐?"

"젠장, 지금 이동 중이다. 일거리가 생겼거든."

"일거리? 어떤 건데?"

아르티어스는 자신의 처지가 한심하다는 듯 한숨을 길게 내쉬며 심드렁한 표정으로 대꾸했다.

"에효~ 고블린 잡으러 간다."

"고블린? 그걸 왜 네가 잡으러 가?"

"호비트 놈들이 고블린을 잡는 데 얼마나 등신 짓을 하는지 너도 잘 알잖아. 1개 중대가 몇 달씩이나 매달려서 아등바등하고 있는 게 짜증나서 내가 한 방에 처리를 해 줬지. 그게 실수였어. 요즘은 고블린 의뢰만 들어왔다 하면 나보고 가란다, 젠장!"

수정판에 비친 아르티어스가 말을 하면서도 가끔씩 주위를 둘러보며 작은 목소리로 속삭이는 걸 보면 주위에 용병들이 있는 모양이었다.

"대충 핑계 대고 잠깐 빠져나와. 오랜만에 한잔하자."

그때 브로마네스의 얼굴을 빤히 쳐다보던 아르티어스가 갑자기 인상을 확 찌푸리며 으르렁거렸다.

"그나저나 너 얼굴 꼴이 왜 그 모양이야? 설마 사고 친 건 아니겠지?"

브로마네스는 거만하게 어깨를 으쓱거리면서도 별것 아니라는 듯 대꾸했다.

"그럴 리가 있나, 친구. 이건 사고 친 흔적이 아니라, 나의 용맹을 세상에 널리 알린 명백한 증거라네. 필마단기(匹馬單騎)로 적진을 뚫고 들어가 적장의 목을 날려 버렸거든. 이걸 보게."

브로마네스는 자신이 입고 있는 번쩍거리는 흉갑을 가리키며 짐짓 짜증 어린 말투로 투덜거렸다.

"연대장씩이나 된다는 놈이 겨우 이런 허접한 갑옷이나 입고 있다니……."

하지만 브로마네스의 말과 달리 수정판에 비친 것은 아주 훌륭한 갑옷이었다. 그 순간 아르티어스는 깨달았다. 이놈이 왜 자신에게 연락을 한 것인지를.

자랑을 하고 싶어서 안달이 난 것이다.

순간 아르티어스는 치밀어 오르는 짜증을 도저히 억제할 수가 없었다.

"이런 망할 녀석! 제발 얌전히 찌그러져 있으라고 그렇게 신신당부했건만. 쨔샤, 한눈에 척 봐도 엄청 비싸 보이는 갑옷을 너 같은 소대장이 입는다는 게 말이 돼! 그리고 왜 혼자서 미친 놈처럼 적진에 뛰어들어? 아주 네 정체가 드래곤이라고 동네방네 떠들고 싶은 게냐? 그러다 재수없게 흰둥이 놈들이 눈치라도 채면 어쩌려고 그래!"

브로마네스는 키득거리며 웃었다.

"크크크, 너 지금 배가 아파서 그러는 거지? 넌 겨우 고블린이나 잡으러 다니고 있는데, 난 연대장을 죽이고 그놈이 입던 갑옷을 노획했다고 하니까 말이야."

돌대가리도 이런 돌대가리가 없었다. 아르티어스는 얼굴을 왈칵 일그러트리며 곧바로 노성을 터뜨렸다.

"이 빌어먹을 놈! 그딴 갑옷 때문에 연대장을 잡은 거야? 그럼 아예 본체로 현신해서 브레스라도 몇 방 내뿜지 그랬냐? 도대체 네 대가리에는 뭐가 들어 있는 거야? 그리고 우리가 뭣 때문에 이 짓을 하고 있는지 한 번 생각해 봐."

"……."

"좋게 말할 때 허름한 갑옷으로 바꿔 입어. 지금 네놈이 가지고 있는 검도 평범한 철검으로 바꾸라고 하기 전에! 알겠어? 만약 네놈 때문에 흰둥이들에게 들키기만 해 봐! 그때는 내 손에 죽을 줄 알아."

말이 끝나기가 무섭게 수정판 위의 아르티어스의 모습이 사라졌다. 아르티어스가 일방적으로 통신을 끊어 버린 것이다. 꽤나 신경질적인 반응에 브로마네스는 재미있어 죽겠다는 듯 키득거리며 웃었다.

"킥킥킥. 짜식, 간뎅이가 저리 콩알만 해서 뭔 일을 같이 하누?"

용병단을 꿀꺽하려면 하루라도 빨리 공을 세워 지휘부로 진급해야 할 게 아닌가. 그걸 잘 알고 있을 아르티어스가 저렇게 화를 내는 건 브로마네스는 전장을 휘저으며 활약하는데, 자신은 고블린이나 잡으러 다니고 있으니 배가 아파 그런 것이 분명했다.

브로마네스는 피와 땀으로 얼룩진 자신의 얼굴과 머리카락을 손바닥으로 한 번 쓱 훑었다. 그와 동시에 드러나는 뽀송뽀송한 피부. 그 위로 찰랑거리는 길고 아름다운 금발이 부드럽게 흘러내린다. 아르티어스에게 자랑을 했으니 더 이상 더러운 모습을 유지하고 있을 필요가 없었기에 청결 마법을 사용한 것이다.

"자, 일단 시원한 맥주나 한잔하러 가야겠군. 이렇게 더운 날씨에는 지하실에서 갓 꺼낸 차가운 맥주가 최고지!"

브로마네스는 콧노래를 부르며 주변에 있는 도시를 향해 공간이동했다. 고블린을 잡겠답시고 땀을 뻘뻘 흘리며 개고생을 할 아르티어스를 생각하면 맥주는 한층 더 시원하고 맛있으리라.

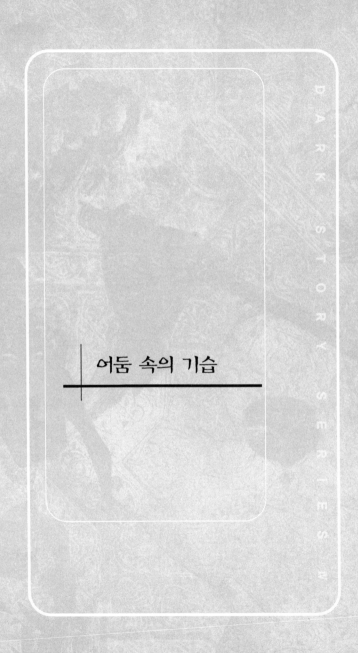

어둠 속의 기습

D A R K   S T O R Y   S E R I E S M

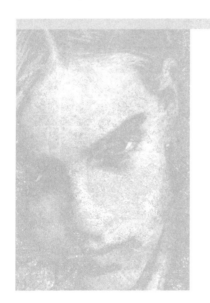

32

불완전한 각성

라이는 바보가 아니다. 아니, 일반적인 잣대로 평가한다면 아주 눈치가 빠른 편에 속했다. 하지만 그는 우직하고 순진하게 보이려고 노력했다. 그래야만 감시의 눈길을 조금이라도 적게 받게 된다는 것을 경험으로 체득하고 있었으니까.

요즘 들어 라이는 기분이 썩 좋지 못했다. 왠지 소대원들로부터 '왕따'를 당하고 있다는 느낌이 들었기 때문이다. 물론 대놓고 따돌리는 건 아니었지만, 고참병들끼리 심각한 표정으로 뭔가를 수군거리다 자신이 근처에만 가면 대화를 멈추고 딴청을 부리기 일쑤였다.

노골적으로 따돌리는 것도 아니었고, 게다가 소대에서 막내였기에 뭐라 불만을 토로하기도 그랬지만, 그런 일이 반복될 때마다 기분은 아주 더러웠다. 더군다나 그 고참병들 중에는 지금까지 믿고 의지해 왔던 하리스까지 끼어 있다는 게 그의 기분을 더욱 착잡하게 만들었다.

고참병들이 자신에게 뭔가 애써 숨기려 하는 것을 눈치 빠른 라이가 모를 리가 없었다. 얼마 전에 적군이 '본대가 전멸했으니 어서 항복하라' 며 떠들어대던 소리를 그도 직접 들었으니

까. 그리고 그 후에 돌아가기 시작한 부대의 어색한 움직임. 그
것만으로도 분위기를 파악하는 데는 충분했다.

하지만 라이는 내심을 숨기고, 어리둥절한 표정을 지으며 짐
짓 아무 것도 모르는 척 행동했다. 다른 사람들이 눈치채지 못
하도록. 가장 친하게 지냈던 하리스에게조차도……

대원들이 자신에게 그런 중요한 사실을 숨기고 있는 그 저의
를 알 수 없었기 때문이다.

"정지! 오늘은 여기에서 야영한다!"

누군가의 외침 소리에 모두들 가던 길을 멈추고 야영 준비를
하기 시작했다. 라이는 재빨리 솥단지부터 걸었다. 하루 중에서
제대로 된 식사를 할 수 있는 건 저녁뿐이다.

아침에는 날이 밝는 대로 출발하기 바빴기에 식사 준비를 할
시간적 여유가 없었다. 그리고 그건 점심도 마찬가지였다. 워낙
빡세게 강행군을 하다 보니 모두들 걸으면서 딱딱한 비스킷 조
각이나 육포 같은 건량을 물과 함께 씹어 먹으며 허기를 때워야
했다.

하루나 이틀 정도만 이동하면 마을에 도착할 수 있어서 필요
한 물품들을 그때그때 보충할 수 있었던 평상시와 달리, 지금은
엄청난 장거리를 이동하고 있는 중이다. 처음에 준비해 뒀던 부
드럽고 맛있는 음식물이 떨어진 것은 오래전이었다. 보관성이
형편없는 것은 둘째 치고, 부피가 너무 커서 많이 준비할 수가
없었기 때문이다.

맛있는 식량이 떨어지고 나면 그때부터는 딱딱한 건조 식량에 의존해야 했다. 이때 애용되는 게 잡화점에서 여행객들을 위해 판매하는 비스킷이다. 바짝 마른 것이 꼭 돌덩이처럼 딱딱했지만, 보관성 하나는 끝내줬기 때문이다. 1년을 처박아 둬도 괜찮을 정도다. 하지만 맛이라는 부분에 있어서는, 살기 위해서 먹는다는 표현이 딱 맞는 음식이었다. 너무 딱딱해서 이빨로 씹을 수조차도 없어 침으로 살살 녹여 먹어야 했으니까.

이런 상황에서 겨우 제대로 된 음식을 먹을 수 있는 순간이니 라이로서는 신이 날 수밖에 없었다. 물이 있는 곳 근처에 야영하면 좋았겠지만, 아쉽게도 행군을 멈춘 곳 근처에는 냇물이 없었다.

그렇다고 식사 준비를 못하는 건 아니다. 라이는 먼저 자신의 물통에 들어 있는 물을 1/3 정도 솥 안에 따른 뒤, 불을 피울 나뭇가지들을 주우러 주위를 돌아다녔다.

라이가 나뭇가지를 한 아름 주워 들고 돌아왔을 때, 하리스는 불을 피워 물을 끓이고 있는 중이었다. 라이는 주워 온 나뭇가지들을 불 옆에 쌓아 둔 뒤 그중 몇 개를 불 속에 집어넣었다.

솥 옆에는 소대원들이 꺼내 둔 음식 재료들이 놓여 있었다. 육포, 소시지, 햄 등 여러 가지였는데, 그중 가장 많은 양을 차지하고 있는 건 비스킷 덩어리였다. 라이는 그것들을 끓는 물속에 집어넣었다. 대원들이 음식 재료들을 놔두고 가면서, 각자 개인 수통 속의 물도 솥에 조금씩 넣었기에 물의 양은 넉넉했다.

딱딱했던 음식 재료들이 끓는 물속에서 부드럽게 풀어지며 제법 먹을 만한 먹거리로 변해갔다. 라이는 소금을 넣어 간을 맞춘 뒤 조금 더 기다렸다.

구수한 음식 냄새가 풍기기 시작하자, 소대원들은 각자의 식기를 들고 솥 근처로 하나둘 모여들었다. 모두들 배가 고팠던 것이다.

그러는 동안 어둠이 짙게 깔리더니 어느덧 모닥불 주위만 따스한 온기와 빛을 흘렸다.

그런데 그때였다.

퍼억! 하는 소리와 함께 라이가 건넨 죽을 받기 위해 식기를 내밀던 젠슨의 가슴에 화살촉이 삐죽 솟아올랐다. 등에 맞은 화살이 젠슨의 몸을 꿰뚫고 가슴으로 비집고 나온 것이다. 핏방울이 라이에게까지 튀어 그의 얼굴 여기저기에 붉은 점을 만들었다.

"으헉!"

바로 코앞에서 일어난 갑작스런 사태에 라이는 기절초풍할 듯 놀랐다. 지금껏 이런 경우를 당해 본 적이 단 한 번도 없었기에, 죽음에 대한 공포로 머릿속이 하얗게 텅 비어 버렸다.

단 하나 느낄 수 있었던 건, 비릿한 피비린내만이 그의 후각을 가득 채우고 있다는 것뿐.

이때, 라이의 머리통을 억지로 땅바닥에 처박아 엎드리게 만든 사람이 있었다.

"이 멍청한 녀석! 죽고 싶어? 멍청하게 서 있으면 어떻게 해!"

하리스였다. 하리스는 라이를 땅바닥에 패대기쳐 버린 다음, 자신도 납작 엎드렸다. 그런 뒤 발로 모닥불을 향해 흙을 밀어 넣었다. 어느새 주위에 있던 대원들 역시 땅바닥에 엎드린 채 모닥불을 향해 발로 흙을 밀어 넣고 있었다.

라이가 겨우 정신을 차렸을 때쯤에는 이미 모닥불은 꺼져 있었다. 하지만 그렇다고 해서 화살 공격이 멈춘 것은 아니었다. 아직 모닥불을 제대로 끄지 못한 곳이 더 많았기 때문이다.

사방에서 빨리 불을 끄라는 악쓰는 소리와 함께 처절한 비명이 연신 터져 나왔다. 급한 마음에 불 위로 올라가 발로 짓밟다가 화살을 맞고 쓰러지는 사람, 환한 모닥불 근처를 벗어나겠다고 일어나 어두운 곳으로 달려가다 쓰러지는 사람……. 순식간에 사방에서 사상자가 속출하고 있었다.

"이런 젠장! 도대체 어디에서 쏘는 거야?"

론도 소대장의 다급한 목소리가 들려왔다. 장교들의 명령이 떨어지기도 전에 몇몇 고참병들은 이미 무장을 챙긴 뒤 화살이 날아오는 곳을 찾기 위해 주위를 두리번거리고 있었다. 하지만 밤이 깊어 워낙 어두운 탓에 대략적인 방향만 짐작할 뿐, 어딘지는 알 수가 없었다.

이때, 모라이어스의 목소리가 들려왔다.

"대원들이 쓰러지는 방향을 봐서는 서쪽인 것 같습니다."

"적의 숫자는 어느 정도 되는 것 같나?"

"몇 명 안 되는 것 같습니다. 첫 공격에 4명 정도가 동시에 쓰러진 것 같았는데…, 그걸 보면 적은 최소 4명 이상이고 많아 봐야 10명 이내인 것 같습니다."

이런 갑작스런 상황에서도 그런 미세한 부분까지 파악해 적 병력의 수를 짐작해 낸다는 건 정말이지 대단한 것이었다. 왜냐 하면 라이처럼 실전 경험이 떨어지는 대원들은 모두 땅바닥에 머리를 처박은 채 부들부들 떨고만 있었으니까.

어둠 속을 환히 밝히던 모닥불의 숫자가 급속히 줄어들고 있 었다. 이윽고 모든 모닥불들이 다 꺼져 버리자 주위는 짙은 어 둠에 잠겨 버렸다. 그리고 그와 동시에 극심했던 혼란도 차츰 가라앉기 시작했다. 더 이상 화살이 날아오지 않았기 때문이다.

고개를 처박고 있던 라이는 누군가가 자신의 등을 툭툭 치는 걸 느꼈다. 그리고 곧이어 들려오는 믿음직스런 목소리, 하리스 였다.

"언제까지 그러고 있을 거냐? 이젠 일어나도 돼."

그 말에도 라이가 살짝 고개만 치켜들고 일어서지 않자 하리 스는 피식 웃으며 말했다.

"안심하고 일어서도 돼. 이런 어둠 속에서는 사격이 불가능하 거든."

조심스럽게 주위를 둘러보니 모닥불이 꺼졌음에도 그렇게 어 둡지만은 않았다. 하늘에 달 하나가 떠올라 있어 어렴풋한 빛을 비춰 주고 있었기 때문이다. 하지만 장거리에서 목표를 겨냥하 여 사격을 가하기에는 빛이 너무 부족했다.

이때, 라이의 옆을 스쳐 지나가는 시커먼 그림자. 모라이어스 였다. 어둠 속으로 사라지는 그의 뒷모습을 멍하니 바라보고 서 있자 하리스가 웃으며 말했다.

"녀석들을 잡으러 가는 거야."

"모라이어스 혼자서요? 아무리 그가 실력이 뛰어나다고 해
도, 이런 어둠 속에서 혼자 어떻게……?"

"누가 혼자 간다고 하든? 모라이어스만이 아니라 다른 소대
에 배속되어 있는 저격수들도 모두 다 저 사냥에 동참하고 있을
걸."

"아, 그렇구나."

"잔말 말고 너는 배식 준비나 해. 배고파 죽겠다. 개새끼들!
먹을 때는 개도 안 건드린다는데, 모처럼 따끈한 음식 좀 먹으
려니 화살을 퍼붓고 지랄이야."

라이가 흙바닥에 나뒹굴고 있는 솥을 바로 세우고 있는 동안
하리스는 옆의 동료들과 함께 젠슨의 시체를 멀찌감치 치우고
돌아왔다. 하리스가 일찍 불을 끈 덕분에 분대 내에 더 이상의
사상자는 없다는 게 그나마 다행이었다.

시체를 치우고 돌아온 하리스가 라이를 향해 말했다.

"자, 밥이나 먹자. 한 그릇 듬뿍 퍼 봐라."

그런 하리스를 향해 라이가 풀이 죽은 어조로 말했다.

"별로 먹을 게 남아 있지 않아요."

"그게 무슨 말이냐?"

라이는 솥이 엎어져 음식이 절반 이상 쏟아져 버렸다는 것을
설명했다. 아마 하리스를 비롯한 몇몇 대원들이 불을 끈다며 정
신없이 발로 흙을 차 넣을 때 솥까지 함께 차 버린 것이리라.

하리스는 한숨을 푹 내쉬더니 말했다.

"젠장, 할 수 없지. 모두에게 골고루 돌아가게 조금씩 나눠 봐."

"모두들 그릇 내놓으세요. 양이 그다지 많지 않아 넉넉하게는 못 드립니다."

각자의 그릇에 조금씩 덜어 준 다음, 라이도 자리를 잡고 앉았다. 배가 등가죽에 붙을 정도로 배가 고팠던 라이는 스프를 한숟가락 듬뿍 퍼서 입에 밀어 넣었다.

우드득!

흙을 차는 와중에 솥 안에까지 흙이 들어간 모양이다. 그렇다고 해서 이 아까운 음식을 버릴 수는 없었다. 적이 어디 있는지도 모르는데 모닥불을 다시 피울 수도 없는 데다가, 무엇보다 지금 배가 너무 고팠으니까.

돌덩이처럼 딱딱한 비스킷을 씹어 먹느니, 흙을 골라내며 먹는 게 훨씬 나았다. 다른 대원들도 돌을 씹었는지 여기저기에서 투덜거리는 소리가 들려왔지만, 아무도 먹는 걸 멈추지는 않았다.

이런 음식조차 건지지 못한 주변의 다른 소대원들은 부러움에 가득 찬 눈빛으로 그들을 보고 있었다. 그들의 귀에는 우두둑 거리는 소리 따위는 전혀 들리지도 않았을 것이다. 쩝쩝 거리며 먹는 소리와 함께 흘러나오는 구수한 음식 냄새! 모두들 말은 안 했지만, 먹고 싶어 환장할 지경이었으리라.

정신없이 곯아떨어져 자고 있던 라이는 누군가가 자신을 툭툭 치는 것을 느끼고는 눈을 뜨려고 애썼다.

'벌써 아침이 됐나?'

억지로 눈을 떠보니 아직 주위가 시커먼 어둠에 잠겨 있다는 것을 확인할 수 있었다. 라이는 짜증이 확 치밀어 올랐다. 자신을 깨운 게 누군지 확인도 하지 않은 채, 라이는 다시 자리에 드러누우며 말했다.

"나 오늘 불침번 아니에요."

"그건 나도 알아, 새꺄. 빨리 일어나! 매복하러 가야 해."

하리스의 목소리였다. 라이는 억지로 몸을 일으켰다. 요 며칠 동안 강행군을 한 탓인지, 그의 몸은 흡사 쇳덩이라도 매달아 놓은 것처럼 무겁게만 느껴졌다.

"매복이라니요?"

"이 근처에 자리 잡고 매복하라는 대대장님의 명령이란다. 시간이 없어. 빨리 짐 챙겨."

다른 부대원들이 잠에서 깨기도 전에 올란도의 중대는 적당한 자리를 골라 매복에 들어갔다.

하리스가 라이를 이끌고 자리를 잡은 곳은 커다란 나무 아래였다. 울창한 나뭇가지로 인해 달빛이 가로막혀서인지 나무 아래는 한 치 앞도 보이지 않을 정도로 어두웠다.

하리스는 뒷편 덤풀 속에 말들을 묶어 놓은 후, 나무 아래로 기어 들어갔다. 라이도 그 옆에 자리를 잡았다.

"그놈들이 또 올까요?"

라이는 긴장된 어조로 물었지만 하리스는 태평스럽기 그지없었다.

"우리가 잔뜩 독이 올라 있다는 걸 뻔히 알 텐데, 너 같으면 또 오겠냐?"

그래도 긴장감에 라이가 주위를 열심히 살피고 있는데, 얼마 지나지도 않아 드르릉 거리는 코 고는 소리가 옆 자리에서 들려오기 시작했다. 본대를 습격하려는 적이 나타나면 즉시 공격하라는 대대장의 명령을 받고 이곳에 은밀히 매복 중인데, 느닷없이 코 고는 소리라니. 라이로서는 하리스의 저 엄청난 간뎅이에 할 말을 잊을 정도였다.

라이는 도저히 참을 수가 없어 하리스를 흔들어 깨웠다.

"무슨 일이냐?"

"적이 나타나면 어쩌려고 그래요?"

하리스는 짜증 어린 말투로 대꾸했다.

"아, 짜식. 걱정하지 말라니까 그러네. 날이 밝기 시작하면 본대가 후퇴할 거야. 적들이 움직이는 건 그 이후가 되겠지. 그러니 그동안만이라도 너도 좀 자 둬."

또다시 부시럭거리는 소리가 들려왔다. 아마 뒤로 돌아눕는 모양이다.

하리스의 말이 옳다는 것은 알겠지만, 라이는 도저히 잠을 잘 수가 없었다.

저 어둠 속 어딘가에서 금방이라도 적이 나타날 것만 같았다. 어제 놈들이 쏴 댄 화살에 얼마나 많은 동료들이 목숨을 잃었던

가. 게다가 젠슨은 그의 코앞에서 화살에 맞아 죽기까지 했다. 그때를 떠올리는 것만으로도 사방에서 피비린내가 진동하는 것 같은데, 잠을 자라니. 그건 너무 무리한 주문이었다.

정신 바짝 차리고 주위를 살펴보고 있었다고 생각했는데, 어느새 자신도 깜빡 졸았던 모양이다. 흠칫하며 라이가 눈을 떴을 때는 이미 주위가 훤하게 밝아 있었다. 저 아래쪽에 보이는 본대 대원들은 야영 장비를 걷고 한창 떠날 준비를 하고 있는 중이었다.

라이는 하리스를 흔들어 깨웠다.

"선배, 일어나세요."

"음냐…, 또 뭐야?"

"본대가 곧 철수할 것 같습니다. 그럼 곧 적들이 습격해 올 거잖아요?"

하지만 하리스는 귀찮다는 듯 등을 돌려 누우며 투덜거렸다.

"상대는 페가수스 용병단의 레인저들이야. 이런 어설픈 매복에 걸려들 거라고 생각하냐? 쓸데없는 소리 하지 말고, 너도 좀 더 자 둬. 1시간 후에는 출발할 거니까."

라이는 하리스가 입고 있는 양털로 짠 두꺼운 청회색 로브 자락이 아주 따뜻하게 보였다. 저걸로 몸을 감싸고 자면, 마치 방에서 자는 것처럼 푹 잘 수 있을 것만 같았다.

얼마 지나지도 않아 다시 하리스의 코 고는 소리가 낮게 들려왔다. 돌아누운 지 얼마나 됐다고 벌써 깊은 잠에 빠져들 수 있다니, 청회색 로브가 엄청 포근한 모양이라고 라이는 생각했다.

그런 하리스를 보다 보니 자신의 눈꺼풀도 점점 무거워지기 시작하는 게 느껴졌다. 어제 하루 종일 강행군을 한 데다가, 오밤중에 일어나 매복을 한답시고 잠도 제대로 자지 못했으니 라이도 피곤하기는 마찬가지였다.

"으하아아암~."

밀려오는 졸음에 하품을 하며 커다랗게 기지개를 켜던 순간, 라이의 머릿속을 번쩍하고 스쳐 지나가는 게 있었다.

"어라?"

그러고 보니 지금이야말로 용병단에서 탈출할 수 있는 절호의 기회가 아닌가. 가장 껄끄러운 존재였던 모라이어스는 어젯밤 적을 사냥한답시고 어둠 속으로 사라졌다. 그리고 언제나 자신을 삐딱한 시선으로 바라보며 감시하던 올란도도 어딘가로 떠나 버린 상태.

평상시라면 탈영병이 생겼을 때 그놈을 잡기 위해 모두들 혈안이 되어 주변을 샅샅이 뒤지겠지만 지금은 그럴 수 있는 상황도 아니다. 기습 작전은 실패했고, 본대마저 전멸했다고 하니 최대한 빨리 후퇴하여 아군과 합류해야만 한다. 게다가 적의 레인저들이 암암리에 자신들을 노리고 있다.

이런 상황에서 한두 명이 사라진다 한들 누가 신경이나 쓰겠는가. 설혹 탈영했다는 것을 알게 돼도, 그 한 명을 잡겠다고 주위를 수색할 여유가 없는 것이다.

라이는 곁눈질로 살그머니 하리스를 훔쳐봤다. 아무리 봐도 잠자는 척하고 있는 것 같지는 않았다. 드르렁거리며 연신 코를 고는 것이 진짜로 깊은 잠에 빠져 있는 듯 보였다.

'이대로 도망칠까?'

하지만 곧 고개를 좌우로 흔들었다. 깊은 잠에 빠져 있는 것처럼 보이지만, 작은 소음에도 하리스가 금방 잠에서 깬다는 것을 그는 이미 알고 있었기 때문이다. 하물며 덤불 속에 매어 놓은 말을 끌고 나오는 기척을 그가 눈치채지 못할 리 없었다. 그동안 자신을 아껴 줬던 선배였지만, 그냥 이대로 놔두고 갈 수는 없었다.

'어떻게 해야 할까?'

잠시 고민하던 라이는 입술을 꽉 다물었다. 미안하긴 하지만 자신이 살기 위해서는 어쩔 수 없는 일이다.

라이는 엉덩이를 땅에 붙인 채, 슬금슬금 하리스와의 거리를 좁혀 들어갔다. 꼭 누군가가 지켜보고 있는 것만 같다. 라이는 침을 꿀떡 삼키며 주변을 둘러봤다. 다행히도 기분 탓인 모양이다. 그 어떤 인기척도 발견할 수가 없었으니까.

하리스에게 바싹 다가선 라이는 다시 한 번 주변을 둘러보며 망설였다. 이대로 탈출을 실행할 것인가? 아무리 생각해 봐도 지금이 최고의 기회였다. 이 좋은 기회를 그냥 날려 버릴 수는 없었다.

라이는 하리스의 몸을 살며시 건드리며 걱정스럽다는 어투로 나직하게 말했다.

"선배, 이왕 자려면 투구라도 벗고 주무세요. 그렇게 불편하게 자면 목이 뻐근해지잖아요."

꿈틀하기는 했지만, 하리스는 더 이상의 반응은 보이지 않았다. 다시금 잠에 빠져든 모양이다. 라이는 하리스의 투구를 살며시 위로 잡아당겼다. 턱 끈을 매지도 않은 상태인 데다, 하리스가 잠결에 고개를 위로 들어 줘 투구를 쉽게 벗길 수 있었다.

하리스의 뒤통수가 무방비 상태로 드러났다.

'미안합니다, 선배.'

주변에 있던 커다란 돌덩어리 하나를 집어 들자마자 힘차게 휘둘렀다. 망설이면 도저히 선배의 뒤통수를 찍을 수 없을 것만 같았기에.

퍽!

하리스는 끽 소리도 내지 못하고 쭉 뻗어 버렸다.

'설마 죽지는 않았겠지?'

급히 하리스의 코에 귀를 대보자, 쌕쌕 하는 숨소리가 들려왔다. 다행히 죽지는 않은 모양이다. 하리스의 뒤통수를 돌로 찍어 버린 이상, 이제 탈출하는 것 외에 다른 방법은 없었다. 자리에서 벌떡 일어나 나무 뒤편 덤불 안으로 들어가자 숨겨 놓은 말들이 투레질을 하며 라이를 반겼다.

라이는 재빨리 말들을 다독이며 속삭였다.

"워, 워, 조용히 해."

라이는 조심스럽게 주위를 둘러봤다. 다행히 아직까지는 아무도 이쪽에서 벌어진 변고를 눈치채지 못한 것 같다.

자신의 말을 이끌고 막 도망치려던 라이의 눈에 하리스의 말안장에 매달려 있는 활과 화살이 보였다. 라이는 즉시 그걸 챙겨 자신의 말안장에 매달았다. 도망칠 때 가장 유용한 무기가 바로 활이었으니까. 그리고 말안장에 매달려 있는 불룩한 주머니도 챙겨 넣었다. 그것은 바로 하리스의 식량 주머니였다.

도망칠 준비가 끝나자 라이는 말을 끌고 조용히 이동하기 시작했다. 대대원들이 이동하는 곳의 반대 방향을 향해서……

매복해 있던 장소에서 충분히 벗어났다고 판단한 순간, 라이는 번개처럼 말 등에 올라탔다.

"끼럇! 핫!"

라이의 채찍질에 말은 미친 듯이 앞으로 내달리기 시작했다. 라이는 재빨리 등 뒤를 살펴봤다. 다행히도 뒤따라오는 사람은 아무도 없었다.

그 순간 입가에서 자신도 모르게 실실 새어 나오는 웃음. 곧이어 그 웃음은 입가가 찢어질 만큼 커다랗게 터져 나왔다.

"크하하핫!!"

드디어 지옥 같은 곳에서 탈출했다. 이젠 자유다!

아직 고향땅에 도착하지도 않았지만, 라이는 탈출했다는 기쁨을 도저히 주체할 수가 없었다.

*　　*　　*

'꿀꺽!'

너무 긴장한 탓일까? 제2소대 저격수 아스탄은 자신도 모르게 침을 삼켰다. 어딘가에 적이 숨어 있을지도 모른다고 생각하니 행동은 더욱 조심스러워진다.

아스탄은 나름 자신이 붉은 전갈 용병단에서 손꼽히는 레인저라고 생각했었다. 하지만 적이 페가수스 용병단 소속의 레인저라는 것을 알게 된 후로는 조금씩 자신감이 사라지고 있는 중이었다.

'그냥 돌아가는 게 좋을까? 아니면 괜찮은 자리를 골라, 매복을 하는 게 좋을까?'

아스탄이 고민하고 있는 이유는 아직까지도 적의 흔적을 찾아내지 못했기 때문이다. 적의 기습을 받자마자 재빨리 숲 속으로 스며든 이후, 밤새도록 주위를 샅샅이 수색하고 있었지만 적의 흔적을 찾아내는 데는 실패했다.

'이 이상 혼자 숲 속을 뒤지는 건 위험해. 이럴 줄 알았으면 모라이어스 녀석과 함께 보조를 맞추는 거였는데…….'

이렇게 오랫동안 숲을 뒤졌는데도 적의 흔적을 찾지 못했다는 것은 적이 어딘가에 매복하고 있을 가능성이 크다고 봐야 했다. 그렇다면 이렇게 계속 움직이는 것은 위험하다. 자신도 모르게 적의 사거리 안으로 들어갔다가는 곧바로 사망이니까.

이때였다. 그의 눈에 뭔가 이상한 것이 눈에 띄었다. 낙엽이 떨어져 있는 모양이 조금 이상했던 것이다. 마치 뭔가에 밀쳐진 듯한……. 그는 낙엽 사이를 헤쳐 그 아래쪽을 확인했다. 긴장감 가득하던 그의 얼굴에 살며시 미소가 어린다. 드디어 꼬리를 잡은 것이다.

'한 명이군. 이리로 갔나?'

발걸음에 눌린 이끼가 아직 원상태로 복구되지 않은 걸로 봐서 지나간 지 30분도 채 지나지 않은 듯했다.

적의 숫자는 그리 중요하지 않다. 놈들을 먼저 찾아낼 수만 있다면, 붉은 전갈 용병단이 페가수스 용병단에 비해 실력이 뒤처지지 않는다는 것을 놈들에게 뼈저리게 알려 줄 수 있으리라. 레인저들끼리의 싸움에 있어서 먼저 본 쪽이 이긴다는 것은 불변의 진리였으니까.

아스탄은 미세하게 남아 있는 흔적들을 하나하나 찾아내며 추적을 시작했다. 물론 주변을 샅샅이 살펴 만일의 사태에 대비하는 것도 잊지 않았다.

살금살금 이동하던 그의 눈에 또 다른 흔적이 눈에 띄었다. 그는 재빨리 쭈그리고 앉아 그 흔적에서 조금이라도 더 많은 정보를 읽어 내기 위해 노력했다.

그의 모든 오감이 흔적을 읽는 것에 집중된 그 순간, 어딘가에서 슛-! 하는 소름 끼치는 소리가 들려온 것 같았다. 그와 동시에 아스탄은 가슴을 찢는 듯한 무시무시한 통증에 자신도 모르게 신음성을 터뜨려야만 했다.

"크윽!"

이미 적이 쏜 화살이 가죽갑옷을 꿰뚫고 들어와 심장에 구멍을 뚫어 버린 상태. 혹 주변에 있을지도 모를 동료들을 향해 경고라도 해 주고 싶었지만, 그에게는 이미 비명을 지를 힘조차 남아 있지 않았다.

'빌어먹을! 어쩐지 너무 쉽게 꼬리를 잡았다고 생각했더니……'

그 순간, 저 멀리에서 뭔가가 움직이는 듯 수풀이 살짝 흔들리는 게 보였다. 정말 용의주도한 놈이었다. 한 발 쏜 다음 곧바로 위치를 바꾸고 있는 것을 보면, 놈은 주변에 혹시 있을지도 모를 또 다른 적을 경계하고 있는 것이다. 과연 페가수스 용병단의 명성이 거저 만들어진 것은 아닌 모양이다.

아스탄은 점차 시야가 검게 물들어 가는 것을 느끼며 숨을 거두었다.

페가수스 용병단의 레인저는 적병을 사살하자마자 왼손에 활과 함께 잡고 있던 두 번째 화살을 재빨리 장전했다. 정찰조의 경우 2명이 한 조를 이뤄 움직인다는 것은 기본적인 상식이다. 그런 만큼 적의 동료가 공격해 올 것에 대한 대비를 하지 않을 수가 없었다.

저쪽 어딘가에 숨어 있을 놈의 동료는 화살이 날아온 곳을 찾아 이리저리 고개를 두리번거리고 있으리라. 활시위를 팽팽히 당긴 자세로 적이 숨어 있을 만한 곳을 샅샅이 훑어봤지만, 맥빠지게도 그 어떤 움직임조차 찾아낼 수가 없었다.

'설마…, 저놈 혼자 온 건가?'

그는 애써 긴장감을 고조시키며 고개를 가로저었다. 방심은 곧 죽음! 저쪽 어딘가에 적병이 숨어 있다고 가정하는 게 옳다. 이런 조심성 덕분에 그가 아직까지도 살아 있는 것이었으니까.

그는 땅바닥에 납작 엎드린 뒤 살금살금 기어 또다시 자리를 옮겼다. 방금 전에 그가 숨어들었던 장소는 최초 사격 지점에서 얼마 떨어지지 않은 곳이었다. 그곳에서 너무 오랫동안 머무르는 것은 위험하다. 이럴 땐 위치를 옮기는 게 안전하다고 봐야 했다.

자리를 옮긴 후, 그는 주변을 다시금 세밀히 관찰했다.

'아주 조심성이 많은 놈이야. 보통 동료가 죽는 그 순간에 움직였을 텐데⋯⋯.'

만약 그랬다면 놈의 존재는 물론이고 그 위치까지도 금방 알아차릴 수 있었으리라. 하지만 그 어디에서도 적의 움직임은 느껴지지 않았다.

'혹시 저놈 혼자 온 게 아니었을까?'

있지도 않은 적을 있다고 오판하며 자신이 헛짓거리를 하고 있는 게 아닐까 하는 생각이 들기 시작한 것은 그로부터 30여 분 정도가 지난 후였다. 그러다가 결국에는 참지 못하고 몸을 일으킨 것은 그로부터 또다시 30분 정도가 지난 후였다. 동료들과 합류하기로 약속한 시간이 다 되어 가고 있었던 것이다.

괜히 있지도 않은 적을 찾는답시고 한 시간씩이나 숨죽이며 긴장했던 사실이 너무나도 억울했다. 차라리 적을 잡은 뒤 곧바로 또 다른 자리로 이동했더라면, 한 놈 더 잡을 수 있었을지도 모르는데⋯⋯.

"젠장! 숲 속에서 움직일 때는 반드시 두 명이 1개 조로 움직인다는 기본 중의 기본조차 모르는 놈이 있었을 줄이야. 그러면서 어떻게 레인저가 될 수 있었지? 정말 어처구니가 없군. 그러니까 네놈들이 삼류 용병단이라는 소리를 듣고 있는 거야.”

본대에서 출발할 때, 아스탄과 모라이어스는 따로 움직였다. 그러다가 새벽녘쯤에 모라이어스가 먼저 아스탄을 발견했다.

아마 아스탄이 모라이어스를 먼저 발견했다면 손이라도 흔들며 아는 척을 했겠지만, 모라이어스는 그런 성격의 사내가 아니었다. 대원들이 그를 왜 ‘새침데기’라는 별명으로 부르고 있겠는가.

주위가 밝아 오기 시작하는 시점부터 숲 속을 혼자 돌아다니는 짓은 거의 자살행위나 마찬가지다. 특히 지금처럼 적들의 실력이 더 뛰어날지도 모르는 경우에는 더더욱. 그것을 잘 알고 있는 모라이어스였기에 아스탄의 뒤를 몰래 뒤따르며 그를 호위해 주고 있었던 것이다.

그는 자신이 있었다. 상대가 아무리 페가수스 용병단원이라고는 하지만, 자신의 눈을 절대로 속이지 못할 것이라고. 적이 아스탄을 노리고 움직이는 그 순간이 바로 저승길로 직행하는 지름길일 것이라고 자신했었다.

하지만 그건 오산이었다. 적이 어디에 숨어 있는지 전혀 파악하지도 못했는데, 아스탄이 목숨을 잃는 모습을 봐야만 했으니까.

아스탄을 향해 화살이 날아왔을 때, 모라이어스는 그 화살의 궤적을 추적하여 적이 숨어 있는 곳을 눈치챌 수 있었다. 그는 거의 반사적으로 그곳을 향해 화살을 날릴 뻔했다. 하지만 오랫동안 전장에서 다져진 그의 본능이 경고를 발했다. 지금은 때가 아니라고…….

놈은 처음부터 상대가 둘이라는 가정 하에 움직이고 있었다. 아스탄을 향해 화살을 쏘자마자 재빨리 자리를 옮긴 게 바로 그 증거다. 그리고 자리를 옮기는 시간을 이용하여 두 번째 화살을 장전한 다음, 방금 전 자신이 숨어 있던 곳을 향해 화살을 날리는 적을 찾아내어 그곳을 향해 화살을 날리려고 했다.

아마 모라이어스가 적을 향해 화살을 쐈다면 놈의 수법에 걸려들어 싸늘한 시체가 되어 버렸으리라.

'젠장, 정말 잘 훈련받은 놈이로군.'

모든 행동이 물 흐르듯 매끄러웠고 거침이 없었다. 곧이어 적은 모라이어스의 시야에서 그 모습을 감췄다. 물론 어딘가로 가 버린 것은 아닐 것이다. 분명 저쪽 어딘가에 은신하고 있는 게 분명했다.

'아직까지도 적이 있다고 생각하며 움직이지 않는 걸 보면, 정말 조심성이 많은 놈이야. 내가 만약 저놈이었다면 30분씩이나 기다려도 아무런 움직임도 보이지 않는다면 적이 없다고 생각하고 일어나 버렸을 텐데……. 저걸 보면 나는 아직도 멀었구나.'

그로부터 모라이어스와 적과의 치열한 심리 싸움이 이어졌다. 하지만 모라이어스는 이 싸움에서 자신이 이길 것임을 확신하고 있었다. 적은 자신의 존재를 모르고 있지만, 그는 적의 존재를 알고 있었으니까. 모습을 드러냄과 동시에 놈은 죽은 목숨이었다.

10분, 20분……. 지루한 시간이 흘러가고 있는 동안 모라이어스의 머릿속은 갖가지 돌발 변수와 대처 방안으로 복잡하게 얽혀 갔다. 그러다 문득 떠오른 것이 지금 저놈을 죽일 것이 아니라, 놈의 뒤를 추적해 적의 본거지를 알아내는 게 더 좋겠다는 생각이 들었다.

그때 저놈은 물론이고, 놈의 동료들까지 몽땅 다 죽여 버리자. 그게 한 놈을 죽이고, 또 다른 적을 찾아 하염없이 숲 속을 헤매는 것보다 더 나으리라. 적들을 확실히 제거해야 철수를 하는 동안 뒤통수가 간지럽지 않을 테니 말이다.

그때였다. 덤불 밑 어두운 곳에서 한 사내가 슬그머니 일어나더니 주위를 둘러보다 서둘러 자리를 옮기는 것이 보였다. 결국 적과의 인내력 싸움에서 그가 이긴 것이다. 적의 뒤통수가 빤히 시야에 들어왔지만 모라이어스는 놈을 향해 화살을 날리지 않았다. 대신 그는 은밀하게 그 뒤를 추적하기 시작했다.

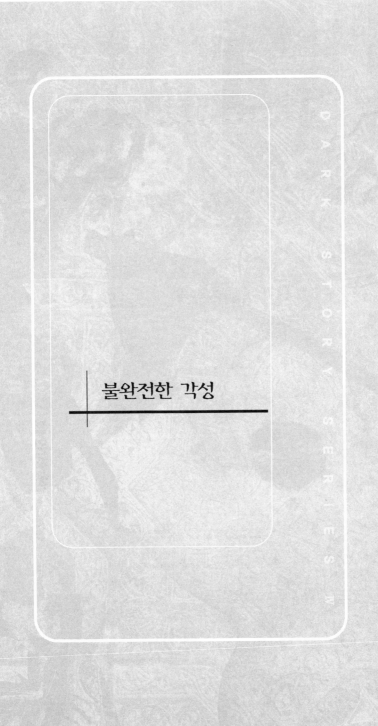

불완전한 각성

32

불완전한 각성

사내가 접선 지점에 도착했을 때는 이미 모든 동료들이 모여 있었다. 있지도 않은 적을 상대로 씨름을 하느라 너무 많은 시간을 허비했던 것이다. 동료들 중에서 가장 먼저 사내의 접근을 눈치챈 털보가 짜증스런 말투로 말했다.

"랜달! 왜 이렇게 늦었어?"

하지만 말투와는 달리 털보의 속마음은 전혀 그렇지 않다는 걸 랜달은 알고 있었다. 그가 오지 않자 걱정하고 있었던 모양이다.

"쩝, 뭐 어쩌다 보니…….."

그때 털보 옆에 앉아 육포를 우물거리고 있던 길게 찢어진 눈매의 사내가 물었다.

"그쪽으로는 몇 명이나 왔어?"

"한 놈. 워낙 조심성이 많은 놈이라 겨우 잡았어."

랜달은 있지도 않은 적을 경계하느라 늦었다고 말하기엔 너무 창피했기에 적당히 둘러댔다.

"그래? 나도 한 명인데…….."

길게 찢어진 눈매의 사내가 말을 채 끝마치기도 전에 털보가 자랑스럽다는 듯 끼어들었다.

"흐흐, 나는 두 놈 잡았지. 내가 제일 많이 잡았구먼."

하지만 길게 찢어진 눈매의 사내는 별 같잖은 소리를 한다는 듯 퉁명스럽게 말했다.

"이깟 삼류 쓰레기 몇 놈 죽인 게 뭐가 그렇게 자랑이라고. 나처럼 하나를 잡아도 생포를 하는 게 어렵지."

그 말에 랜달은 믿기 힘들다는 듯 길게 찢어진 눈매의 사내에게 물었다.

"생포라고? 헤먼, 그렇다면 저놈 아직 살아 있는 거야?"

랜달이 손가락으로 가리킨 곳에는 갑옷이 벗겨진 사내 하나가 땅바닥에 쓰러져 있었다. 헤먼의 말이 아니었다면 그는 그걸 시체라고 생각했을 것이다.

랜달의 질문에 헤먼은 묘하게 일그러진 미소를 지었다. 앞으로 진행될 일이 무척 기대가 된다는 듯.

"죽었다면 내가 왜 힘들게 저놈을 여기까지 끌고 왔겠어? 잡을 때 말에서 떨어져 충격을 심하게 받긴 했지만, 목이 부러진 건 아니니 기다리다 보면 깨어나겠지."

헤먼은 품속에서 작은 주머니 하나를 꺼냈다. 주머니 속에 들어 있는 것은 용병패와 용병수첩, 그리고 약간의 푼돈이었다. 물론 그것은 헤먼의 것이 아니었다.

"저놈의 이름은 라이, 나이는 어리지만 벌써 6급 용병이야. 꽤 똘똘한 놈 같으니 족쳐 보면 제법 쏠쏠한 정보를 얻어 낼 수 있을지도 몰라."

"다른 건 몰라도, 본대가 어떻게 된 건지 그것만이라도 알아냈으면 좋겠군."

이때, 랜달은 죽은 듯 쓰러져 있던 포로의 머리가 살그머니 움직이는 것을 볼 수 있었다. 놈은 기절해 있는 게 아니었다. 언제 정신을 차렸는지는 알 수 없지만, 분명 탈출할 기회를 노리고 있음에 틀림없었다. 이 상황에서도 저렇게 침착하게 움직이고 있는 걸 보면 나이에 비해서는 제법 경험이 많은 놈이라고 봐야 했다. 그렇다면 쓸 만한 정보를 약간은 캐낼 수 있을지도……

랜달은 피식 웃으며 옆에 앉아 있던 털보의 옆구리를 쿡 찔렀다.

"저놈 깨어 있는데?"

"정말이야?"

"머리통 움직이는 거 내가 분명히 봤어."

랜달의 말에 털보는 심심한데 잘됐다는 듯 포로에게 다가갔다. 발로 밀어, 엎어져 있던 포로의 몸을 바로 눕혔다. 포로는 시체처럼 축 늘어진 채 굴러갔다. 6급 용병이라는 게 믿어지지 않을 정도로 앳된 얼굴이다.

"호오, 어린놈이 아주 능청스럽구만. 이렇게 기절한 척하고 있으면, 우리가 모를 줄 알았어?"

얼굴을 가까이 들이밀고 자세히 살펴봤지만 미동도 하지 않는다. 만약 랜달의 말이 아니었다면 아직까지 기절해 있는 줄로 착각했을 것이다.

털보는 히죽 웃더니 포로의 코를 꾹꾹 누르며 장난스럽게 말했다.

"얌마, 깼지? 깬 거 다 알어. 얼라, 그래도 기절한 척하네. 이 놈 아주 음흉스런 놈이잖아."

"……."

"흠, 랜달이 잘못 본 걸까? 에이, 귀찮긴 하지만 깼는지 아닌지 한번 알아보지 뭐. 발바닥을 모닥불로 지지면……."

털보의 말이 채 끝나기도 전에 포로는 살짝 눈을 뜨고는 주변의 눈치를 살피며 신음성을 흘렸다. 이제 막 깨어났다는 듯…….

"으흐흐음."

그걸 보자 털보는 가소롭다는 듯 입가를 이죽거렸다.

"흠, 아직 정신이 혼미한 거 같은데 이래서야 뭘 물어보기도 힘들잖아. 역시 모닥불로 발바닥을 지지는 게……."

순간 라이는 화들짝 놀라 눈을 번쩍 뜬 뒤 소리쳤다.

"불로 지지실 필요 없어요. 깼어요. 완전히 깼다구요."

털보는 라이의 머리통을 툭 친 뒤 동료들을 향해 외쳤다.

"헤먼! 이 녀석 깼어!"

모두들 일제히 자리에서 일어섰다. 털보의 위협이 있기 전까지 꿈쩍도 안 하고 주위를 살핀 걸 보면 아주 능청스런 놈임에 틀림없다. 하지만 협박 몇 마디에 기겁을 해서는 눈을 번쩍 뜨다니. 그걸 보면 간뎅이는 아주 작은 놈이라고 봐야 했다.

'젠장, 안 불겠다고 좀 버텨야 고문할 맛이 날 텐데, 이건 뭐

살짝만 위협해도 술술 불게 생겼단 말이지. 재미없게 말이야.'

혜먼은 털보를 옆으로 밀치고는 라이 앞에 자리를 잡았다. 지금껏 수많은 사람들을 심문해 봤던 혜먼이다. 그렇다고 그가 고문 기술이 뛰어난 것은 아니었다. 길게 찢어진 눈매와 날카로운 매부리코, 거기에다가 얼굴을 가로질러 길게 이어져 있는 상흔까지. 그의 얼굴은 어딘지 독살스러운 맹금류를 연상시켰다. 그래서인지 그가 약간만 인상을 써도 포로들이 지레 겁을 먹고 술술 다 불었던 것이다.

라이를 바라보고 있는 혜먼이 미소를 짓고 있음에도 불구하고, 상대방이 봤을 때는 저승에서 막 기어 올라온 마귀와도 같은 음산한 분위기를 풀풀 풍기고 있었다. 당연히 이런 혜먼의 독살스러운 얼굴을 본 것만으로도 라이는 이미 잔뜩 주눅이 들어 버린 상태다.

"재수가 정말 좋군. 낙마(落馬)했을 때의 충격이 너무 커서, 그냥 죽어 버리는 건 아닐까 걱정했는데 말이야."

"다, 당신들은 누구죠? 뭐, 뭣 때문에 나를 이렇게……."

"그건 알 필요 없고, 너는 내가 묻는 말에만 대답하면 돼."

"그, 그럼 절 살려 주실 겁니까?"

혜먼은 포로를 안심시키기 위해 짐짓 푸근하게 미소를 지어 보였다. 물론 그게 라이의 눈에는 살기 어린 음산한 표정으로밖에 보이지 않았다는 게 문제였지만.

"당연하지. 성실하게 협조를 해 준다면 우리가 자네를 왜 죽이겠나. 안 그런가?"

"대체 뭘 알고 싶으십니까?"

"자네의 이름과 소속 부대는?"

"제 이름은 라이라고 합니다. 성은 없구요. 그리고 제가 소속된 부대는 붉은 전갈 용병단의 제7독립대대 휘하의 1중대, 3소대입니다."

그밖에도 라이는 헤먼이 묻는 말에 자신이 아는 한 상세하게 대답했다. 중대장인 올란도가 홀로 방벽 너머의 적들을 헤치운 것까지도.

인상도 험악한 사내에게 거짓말을 늘어놓을 담량도 없었을 뿐더러, 그깟 붉은 전갈 용병단에 대한 정보 따위야 라이에게는 손톱만큼도 감출 가치가 없었던 것이다.

게다가 라이에게는 속셈이 따로 있었다. 그건 지금껏 그가 해 왔던 것처럼 최대한 협조하는 척하며 상대를 안심시킨 후, 상대가 방심하고 있을 때 탈출할 생각이었던 것이다.

하지만 너무 솔직하게 주저하지 않고 대답해 준 것이 오히려 역효과를 불러일으킬 줄은 라이도 미처 예상하지 못한 일이었다. 알고 싶다는 건 다 말해 줬건만, 자신을 심문하고 있던 사내의 인상은 점점 더 일그러지고 있었던 것이다. 한참 동안 질문을 던지던 헤먼이 갑자기 짜증스럽다는 듯 외쳤다.

"이 찢어 죽여도 시원찮을 새끼. 순진하고 어리숙한 척하더니, 알고 보니 뱃속에 능구렁이가 대여섯 마리는 들어앉아 있는 놈이잖아."

옆에 서 있던 랜달도 고개를 끄덕이며 맞장구를 쳤다.

"맞아. 내가 눈치채기 전까지만 해도, 죽은 척하고 누워서 눈치만 살살 보던 놈이잖아."

"쥐새끼 같은 놈. 이런 놈은 처음부터 반쯤 죽여 놓고 시작하는 거였는데……. 시간 낭비만 했네! 이봐, 몽둥이 하나 가져와 봐."

자신을 둘러싸고 있는 사내들이 내뱉는 험악한 소리에 라이의 얼굴색은 빠른 속도로 새하얗게 탈색되고 있었다.

이때, 털보가 혀를 차며 두 사람을 말렸다.

"쯧쯧. 이봐, 이놈이 하는 짓은 얄밉지만, 한 번만 더 기회를 줘 보자고. 아직 어린 친구 같은데, 벌써부터 병신을 만들어 놓으면 쓰나."

살벌한 얼굴의 헤먼과는 달리 털보는 옆집 아저씨처럼 푸근한 인상에 말빨이 아주 좋았다. 어찌할까 망설이는 헤먼을 밀어낸 뒤 자리를 차지하고 앉은 털보는 짐짓 친근한 미소를 지으며 말했다.

"이봐, 어린 친구. 용병대를 위해 발버둥치는 자네의 노력은 가상하다만…, 이제 쓸데없는 거짓말은 그만두고 진실을 말해 보는 게 어떤가?"

"전 하늘에 맹세컨대 진실만을 말하고 있습니다."

"흠, 그래서 방벽 위에 있던 우리 일행을 모두 처치한 게 단 한 명의 소행이라는 말을 우리보고 믿으란 말인가?"

"예. 저도 어떻게 된 영문인지는 모르겠지만 저희 중대장님이 그랬습니다. 마치 새처럼 날아 단숨에 성벽 위로 뛰어오르더니 파파팍 하고…….”

그 말에 모두들 어이가 없다는 듯 헛웃음을 흘렸다.

“에이, 이 새끼가 진짜 우릴 대가리가 텅 빈 오크로 아나?”

결국 헤먼의 인내심이 바닥이 나 버린 모양이다. 그는 욕설을 내뱉으며 자리에서 벌떡 일어나 라이를 향해 주먹을 휘둘렀다.

퍽!

“크흑!”

얼마나 강하게 얻어맞았는지 눈앞에 별이 번쩍였다. 맞는 순간 재빨리 고개를 돌려 충격을 흘린다고 흘렸지만, 피비린내가 진동하는 걸 보면 입 안이 터져 버린 모양이다. 그래도 천만다행인 건 이빨은 부러지지 않은 것 같았다.

그리고 이어진 무지막지한 구타.

퍽, 퍽, 퍽!!

“크윽! 악! 으악!”

처음 몇 번인가는 주먹으로 때리더니, 그것만으로는 성이 풀리지 않는지 발로 인정사정없이 걷어차기까지 했다. 라이는 몸을 최대한 동그랗게 웅크리고 팔로 얼굴 앞을 가로막는 것 외에 할 수 있는 방법이 없었다.

“점잖게 말로 했더니, 이 새끼가 우릴 아주 가지고 놀려고 드네!”

헤먼이 한참을 무자비하게 두들겨 패고 있을 때, 털보가 그를 말렸다.

“이봐, 그만해. 잘못하면 죽이겠어. 이렇게 소중한 포로를 심문도 제대로 못하고 죽여 버릴 수는 없는 노릇이 아닌가. 숨기는 걸 보면, 뭔가 아는 게 있다는 뜻이겠지. 안 그래?"

"그건 그렇지."

"이젠 내가 알아서 하지. 맡겨 주게."

"콜록콜록!"

핏물을 내뱉으며 심하게 기침을 해대는 라이. 털보는 그런 라이 곁에 쭈그리고 앉아, 어깨를 토닥이며 부드러운 어조로 말했다.

"이봐, 어린 친구. 실없는 농담은 이제 그만하고 알맹이가 있는 얘기를 좀 해 보라구. 만약 계속 이딴 식으로 나온다면, 내 인내심도 한계를 느낄 거야. 그러니 뜨거운 맛을 보기 전에 솔직하게 털어놓는 게 서로를 위해 좋지 않겠나?"

"묻는 대로 솔직하게 다 대답했는데, 대체 왜 이러세요?"

털보는 치밀어 오르는 짜증을 삭이려는 듯 한숨을 크게 내쉬며 말했다.

"휴우~, 그러니까 네놈의 중대장이 그 높은 방벽을 한순간에 뛰어 올라가, 우리 동료 수십 명을 혼자서 모두 죽였다는 말을 나더러 믿으라고?"

"그, 그게 사실인 걸 어쩝니까? 중대장 혼자서 다 한 거라니까요."

물론 그런 학살극을 혼자서도 저지를 수 있는 사람들이 존재한다는 것을 레인저들이 모를 리 없다. 하지만 그런 엄청난 실력자가 고작 이런 삼류 용병단에 배치되어 있을 리 없다는 것

또한 잘 알고 있었다.

결국 털보는 더 이상 참지 못하고 본색을 드러냈다.

"아, 정말 미치겠네. 거짓말을 하더라도 어느 정도껏 해야 내가 믿는 척이라도 해 주지. 이 새끼, 완전 또라이 아냐? 얌마, 그럼 너희 용병단에는 그래듀에이트급의 실력자들이 득시글거린다는 말이냐? 그렇다면 너희 연대장은 왜 힘도 제대로 못써 보고 모가지가 날아갔는데?"

"……."

"고작 중대장 따위가 화살이 빗발치는 방벽을 혼자 뛰어넘어가 1개 중대 병력을 몰살시켰다고? 에라이 말이 되는 소리를 해라, 새꺄!"

사실 미치고 팔딱 뛰고 싶은 심정은 털보보다 라이가 더했다. 솔직하게 다 털어놨는데도 왜 믿지를 않는단 말인가. 더군다나 이 모든 것은 다른 사람에게 들어서 말해 준 것도 아니고, 자신의 두 눈으로 똑똑히 본 사실만을 말해 줬는데 말이다.

"흐흐, 네놈이 굳이 내 취미 생활을 도와주겠다며 이렇게까지 애를 쓰는데, 매정하게 그 청을 거절할 수는 없겠지. 알겠어. 그렇게 바란다면 내 흔쾌히 네게 은혜를 베풀어 주지."

사람 좋아 보이던 털보의 얼굴이 갑자기 스산하게 변했다. 그리고 그와 동시에 그의 두 눈에서는 헤먼과는 또 다른 의미의 광기가 일렁이기 시작했다. 그런 털보의 모습에 모두들 인상을 찌푸리며 뒤로 물러섰다.

"제, 제발 제 말을 좀 믿어 주세요. 있는 그대로 솔직하게 말했는데, 왜 안 믿으시는 겁니까?"

"좋아, 좋아. 이왕 이렇게 된 거, 내가 즐겁게 취미를 즐길 수 있도록 최대한 버텨 보라고."

털보는 품속에서 뭔가를 하나 꺼내 들었다. 그건 짧지만 아주 날카롭게 끝이 갈린 송곳이었다. 그는 송곳 끝을 자신의 손가락 끝으로 콕콕 누르며 으시시한 어조로 물었다.

"이게 뭔지 아나?"

"송곳이잖습니까. 갑옷을 수선하는 데 쓰는……."

"흐흐, 맞아. 평상시에는 모두들 그런 용도로 쓰지. 하지만 이 걸 또 다른 용도로도 쓸 수 있지. 지옥문을 여는 특급 열쇠로 말이야. 왜, 내 말이 믿기지 않나? 걱정하지 마. 내 말이 맞다는 걸 네놈도 금방 인정하게 될 테니 말이야."

그 순간 라이는 알 수 있었다. 이 털보 자식은 완전히 미친놈이라는 사실을. 그리고 그 미친놈이 자신에게 지금부터 뭘 하려는지도. 겁에 질린 라이는 급하게 고개를 가로저으며 소리쳤다.

"저, 전 알고 싶지 않아요!"

털보는 뒤를 돌아보며 주위에 있는 동료들에게 도움을 청했다.

"이놈 팔 좀 꽉 잡아 줘. 움직일 수 없도록"

"뭘 하려고?"

헤먼의 질문에 털보는 별거 아니라는 듯 심드렁하게 대답했다.

"이 송곳을 손톱 밑에 찔러 넣으면 엄청나게 아프거든. 더군다나 죽을 염려도 없으니 얼마나 좋아.”

털보의 말에 랜달은 상상하는 것만으로도 끔찍한지 몸을 부르르 떨었다. 하지만 그보다 더 놀란 사람은 헤먼이었다. 그도 냉막한 인상 덕분에 자주 차출이 되어 포로를 족치다 보니, 이런저런 고문 기술들을 제법 알고 있었다. 그런데 지금 털보가 말한 이런 기괴한 짓거리는 지금껏 들어 본 적도 없는 아주 신선한 방법이었던 것이다.

털보는 라이의 엄지손가락을 꽉 움켜쥐고는 부드러운 음성으로 말했다.

“이걸로 여기를 찌르면 꽤나 아프다네, 어린 친구. 자, 어떤가?”

조금씩 손톱 밑을 파고드는 송곳. 그 고통이 얼마나 극심했는지 라이는 몸을 거칠게 뒤틀며 처절한 비명을 질러대기 시작했다.

“윽! 으아아악!!”

송곳 하나를 엄지손톱 밑에 깊숙이 박아 넣은 다음, 털보는 음침한 목소리로 말했다.

“흐흐, 표정을 보니 너도 무척 즐거운가 보군. 벌써 끝나 버렸다고 아쉬워 할 거 없어. 이제 시작일 뿐이니까.”

라이는 엄청난 고통에 몸부림을 치려 했지만 헤먼과 랜달이 꽉 붙잡고 있어 그마저도 쉽지 않았다. 라이는 입에 거품까지 물며 악을 쓰듯 소리쳤다.

“뭐든 대답할 테니, 제발 그만해요!”

그럴 줄 알았다는 듯한 표정이긴 했지만, 털보는 능청스레 말했다.

"오우, 벌써 날 실망시키면 안 되지. 말을 하고 싶어도 조금만 참아. 일단 열 손가락 밑에 송곳을 박아 넣은 뒤 네게 대답할 기회를 줄 테니까."

그러면서 털보는 품속에서 송곳 하나를 더 꺼내 라이의 손가락에 가져다 댔다. 그때였다. 뒤에서 보다 못한 선임 레인저가 만류하며 나선 것은.

"잠깐! 일단 놈이 제대로 실토하나 들어 보자. 고문을 많이 한다고 해서 좋을 것도 없잖아."

"쩝, 양쪽 엄지손가락에 송곳을 하나씩 쑤셔 박고 시작하는 게 최곤데……. 하여튼 알겠어."

털보는 투덜거리며 라이를 향해 입을 열었다.

"자, 다시 한 번 더 묻겠다. 그때 상황을 자세히 말해 봐. 만약 허무맹랑한 거짓말을 또다시 늘어놓는다면 네놈의 모든 손가락과 발가락에도 송곳을 쑤셔 박아 줄 테다."

라이는 두려움에 질린 눈빛으로 털보를 올려다보며 세차게 고개를 끄덕였다.

"좋아. 이제 어떻게 된 일인지 말해 봐."

진실을 말해도 상대가 믿지 않으니 어쩌겠는가. 라이는 차라리 거짓말을 늘어놓기로 결심했다. 그의 머리는 그럴듯한 스토리를 생각해 내느라 맹렬한 속도로 움직이기 시작했다.

"그러니까…, 대대장님의 지시에 따라 우리는 항복하는 척했습니다. 포위를 당했으니 어쩔 수가 없지 않겠습니까. 그러자 무기를 버리고 방벽 안으로 들어오라고 하더군요. 문을 아주 조금만 열어 놨기에 우리는 한 명씩 안으로 들어갔습니다. 물론 들어가자마자 철저히 몸수색을 당했고 말입니다. 우리가 비무장 상태라고 생각했는지 적들이 안심하고 있을 때, 대대장님이 슬쩍 신호를 보냈습니다. 그래서……."

어쩌고저쩌고……. 없는 말을 지어내려고 하니, 라이로서는 정말 미칠 노릇이었다. 더군다나 지금 그의 오른손 엄지손가락에는 송곳이 깊숙하게 박혀 있는 상황. 엄청난 고통에 기절하지 않고 있다는 사실 하나만으로도 불가사의할 정도인데, 그런 상태에서 그럴듯한 거짓말까지 지어내야만 하다니.

포로를 잡으면 왜 고문을 하는지 그 이유를 라이는 오늘에야 깨달았다. 극심한 고통을 받게 되면 논리 정연한 거짓말을 꾸며낸다는 건 불가능했으니까. 그런데 웃긴 건 털보의 반응이었다.

"흠, 그럭저럭 납득이 가긴 하는데, 몇 군데 미심쩍은 부분이 있단 말씀이야. 아무래도 이 짜식이 은근슬쩍 거짓을 섞은 것 같거든."

"무, 무슨 말씀을. 단 한 치의 거짓도 없는 순수한 사실만 말한 겁니다! 제발, 고문만은……."

라이는 이제 더 이상 말을 지어낼 여력도 없었다. 그저 살려달라고 애원하는 것 외에는…….

털보는 슬쩍 고개를 돌려 선임 레인저의 눈치부터 살폈다. 선임 레인저 역시 의심스러운 부분이 있는지 주저하지 않고 고개를 끄덕였다. 그러자 털보는 다른 두 동료들을 향해 말했다.

"이놈 왼손 좀 잡아 줘."

두 사내가 자신의 왼손을 덥석 붙잡자, 라이의 얼굴은 극심한 공포로 부들부들 떨리기 시작했다.

"제, 제발 살려주세요! 제발……."

"시끄럿! 한 번 기회를 줬음에도 또다시 거짓말을 늘어놓다니. 이젠 용서할 수 없다."

신경질적으로 외친 털보는 송곳을 왼쪽 엄지손가락 밑에 깊숙이 쑤셔 넣었다. 그러고도 성이 안 차는지 주변의 나뭇가지를 꺾어 끝을 뾰족하게 다듬기 시작했다. 송곳 대용으로 쓰려는 심산인 것이다.

"으아아악! 야이, 미친놈아! 말해 달라는 대로 다 말했는데, 왜 이 지랄이야. 아니, 아니, 제가 미쳐서 말이 헛나왔습니다. 제발, 살려 주십쇼, 엉엉. 이번엔 정말 다 말할게요, 제발!"

하지만 털보는 들은 척도 하지 않고 뾰족한 나뭇가지 여덟 개를 라이의 손톱 밑에 하나씩 쑤셔 박았다. 그러고도 모자라는지 열 개의 나뭇가지를 더 가져와 끝을 날카롭게 깎기 시작했다. 휘파람까지 룰루랄라 불면서…….

나뭇가지를 깎아 어디에 쓰려는지는 뻔한 사실. 그것이 고통에 몸부림치던 라이를 더욱 공포스럽게 만들었다.

"크아아악! 차라리 날 죽여. 죽여 줘!"

"크크, 네놈이 자초한 일이니 어쩔 수가 없지. 자, 이번에는 네놈 발가락에 이 예쁜이들을 밀어 넣을 차례인가?"

처절하게 비명을 질러대던 라이는 결국 게거품을 뿜어내며 기절하고야 말았다.

"어쭈구리, 거짓말이 안 통하니 이번엔 기절한 척하시겠다 이 거지?"

평소 사람 좋은 미소를 흘리고 다니던 털보의 또 다른 모습이었다. 모두들 경악한 눈빛으로 그를 바라보고 있었는데, 그중에서 가장 큰 충격을 받은 사람은 바로 헤먼이었다. 냉막한 인상 때문에 평소 악역이란 악역은 그가 도맡아 왔었으니까.

그때 뭔가를 골똘히 생각하고 있던 선임 레인저가 털보를 향해 말했다.

"이봐, 사람이 저 상태가 될 때까지 버틴다는 게 가능할까? 나는 저놈이 한 말이 어느 정도는 진실이라고 생각되는데……."

"물론 대부분은 사실이겠지. 하지만 아무리 생각해도 몇 가지 숨기는 게 있어."

"그걸 발가락에 쑤셔 박으면 진실을 실토할까?"

털보는 스산한 눈빛으로 손에 든 나뭇가지를 흔들며 자신 있게 말했다.

"내 지금껏 살아오면서 이거 20개를 손발톱 밑에 박히고도 거짓말하는 놈은 단 한 번도 본 적이 없어."

"아주 교활한 놈인 거 같은데, 그러고도 통하지 않으면?"

"흐흐, 그렇다면 내 비장의 수법을 몇 가지 더 보여 주지. 눈알을 뽑든지, 아니면 가죽을 벗기고 소금을 치든지……."

라이가 거짓으로 기절한 척하고 있다면, 들으라고 하는 노골적인 협박이었다.

포로를 심문하는 데 예상보다 꽤 많은 시간이 흐르고 있었지만, 누구 하나 자리를 다른 곳으로 옮기자는 사람은 없었다. 모두들 이곳이 안전할 거라고 생각하고 있었던 것이다. 상대는 붉은 전갈 용병단이다. 그런 3류 쓰레기들이 자신들의 행적을 찾아낼 수 있을 거라고는 상상조차 하지 않고 있었다.

놈들의 실력은 어젯밤부터 시작해서 오늘 아침까지 실컷 맛본 상태다. 부대 안에서 은신과 추적술이 가장 뛰어나다는 레인저들의 실력이 겨우 그 정도였던 것을 보면, 나머지 부대원들의 실력은 보나 마나였다.

하지만 예상과 달리, 그들을 몰래 훔쳐보고 있는 사람이 있었다. 모라이어스였다. 그는 덤불 밑에 바짝 엎드린 채, 적들이 포로로 잡힌 라이에게 고문을 하는 모습을 처음부터 끝까지 모두 지켜보고 있었다.

'저 등신은 왜 잡힌 거야?'

그렇다고 해서 동료인 라이를 구하겠답시고, 놈들을 향해 화살을 날릴 생각은 눈곱만큼도 없었다. 적병의 숫자는 모두 네명. 한 명 한 명이 다 자신보다 실력이 높다고 보는 게 옳았다. 최악의 상황이다. 자신의 목숨조차 보장할 수 없는 상황에서 다른 사람을 구한다니, 그건 처음부터 불가능한 일이었다.

모라이어스는 적들의 이목이 모두 라이에게 쏠려 있을 때, 전투를 벌이기에 가장 유리한 지형을 찾아 살피며 이동했다. 지형의 이점이라도 안고 있지 않는 한, 싸워서 이길 수 있는 상대들이 아닌 것이다.

결국, 자신이 원하는 위치에 자리를 잡는 데 성공한 모라이어스는 속으로 라이를 향해 애도의 념을 표했다.

'멍청한 놈이었지만 이럴 땐 도움이 되는군. 네 복수는 내가 확실하게 해 줄 테니 마음 편히 가거라.'

모라이어스는 화살통에서 4대의 화살들을 꺼내 옆에 가지런히 놨다. 속사(速射)를 할 때, 이렇게 땅에 놔둔 것을 잡는 편이 화살통에서 꺼내는 것보다 속도가 약간이나마 더 빠르기 때문이다. 이걸 다 쏜 다음 재빨리 옮겨 갈 다음 위치도 이미 정해 둔 상태다.

'어떤 놈을 먼저 쏠까?'

첫 번째 화살을 시위에 건 상태로 어떤 순서로 화살을 날릴 것인지 그가 고민하고 있을 때였다. 죽은 듯 쓰러져 있던 라이가 갑자기 몸을 벌떡 일으키는 게 보였다.

'저놈 아직도 살아 있었나?'

비정상적일 정도로 좋은 시력 탓에 모라이어스는 라이의 얼굴을 뚜렷하게 볼 수 있었다. 핏발이 곤두서 붉게 번들거리는 눈빛! 입가에는 허연 거품이 흘러내리고 있었고, 야생의 짐승들처럼 거칠게 뿜어져 나오는 살기까지!

몬스터를 죽기 일보 직전까지 몰아붙였을 때나 나오는 그런 광기 어린 모습이었다. 모라이어스는 지금껏 단 한 번도 인간이 이렇게까지 변할 수 있을 거라고는 상상조차 해 본 적이 없었기에 고개를 절레절레 흔들었다.

'정말 질긴 목숨이로군.'

라이가 살기를 내뿜으며 일어서자 적들의 이목이 모두 그에게로 집중되어 있었다. 이보다 더 좋은 습격 기회를 잡는다는 것은 불가능했다.

'끝까지 나를 도와줘서 고맙군, 애송이. 잘 가라.'

드디어 네 명의 적들에게 어떤 순서로 화살을 날릴지를 정했다. 일단 화살을 쏘기 시작하면 최대한 빨리 네 발을 연사(連射)해야 했다. 천천히 호흡을 멈추고 막 시위를 당기려고 할 때였다. 이때, 그의 눈에 이상한 장면이 목격되었다. 라이의 손가락에 꽂혀 있던 송곳과 나뭇가지들이 손도 대지 않았는데 갑자기 쭈욱 뽑혀 나오더니 땅바닥에 툭툭 하고 떨어지는 것을.

'헉!'

말도 안 되는 이 기괴한 상황에 모라이어스는 시위를 당기는 것조차 잊어버릴 정도로 깜짝 놀랐다. 그리고 그건 라이 앞에 서 있던 적병들 역시 마찬가지였다.

라이가 보여 주고 있는 괴기스런 모습에 모두들 기절초풍할 듯 놀랐지만, 그중 가장 큰 충격을 받은 사람은 역시 털보였다. 사람 몸속 깊숙이 찔러 넣은 송곳이나 나뭇가지는 억지로 잡아빼지 않는 한 절대로 빠지지 않는다는 걸 너무나도 잘 알고 있었으니까. 결국 저건 절대 일어날 수 없는 일이었고, 일어나서도 안 되는 일이었다.

"이게 대체 어떻게 된 일이지? 저건 말도 안 돼! 아무리 미쳤다고 해도 저럴 수는 없어."

"쓸데없는 소리 하지 말고, 저놈부터 잡아. 도망이라도 치면 곤란하니까."

선임의 말에 털보는 라이를 제압하기 위해 손을 내뻗었다. 하지만 그 순간, 라이의 손이 묘하게 움직이더니 갑자기 털보의 손을 덥석 붙잡았다. 그리고 그와 동시에 어떻게 했는지 모르겠지만, 털보는 세상이 한 바퀴 빙 도는 듯한 느낌과 함께 땅바닥에 그대로 내동댕이쳐졌다.

퍽!

"크아악!"

처절한 털보의 비명 소리에 분위기가 일순간 얼어붙었다. 모두들 허겁지겁 칼을 뽑아 들고 라이를 포위했다.

"이, 이게 어떻게 된 일이야?"

"으윽! 내, 내 팔."

털보는 힘없이 덜렁거리는 오른팔을 붙잡고 땅바닥을 나뒹굴고 있었다. 잔뜩 일그러진 그의 얼굴만 봐도, 얼마나 고통스러운지 대충 짐작이 갈 정도다.

헤먼은 칼을 겨눠 라이를 위협하면서도 털보를 향해 걱정스런 시선을 보냈다.

"이봐, 괜찮아?"

"팔이 빠진 거 같은데, 빨리 끼워 줘."

선임은 재빨리 털보 옆에 앉아 힘없이 덜렁거리는 팔을 붙잡았다.

"이를 악물어라. 그럼 시작한다."

빠진 팔을 다시 끼우는 건 그리 어려운 일이 아니다. 힘껏 팔을 잡아당긴 후, 제자리에 맞춰 주면 되는 것이었으니까. 하지만 자신이 알고 있는 모든 방법을 다 동원했음에도 팔은 자리를 잡지 못하고 덜렁거리기만 했다.

"이거…, 빠진 게 아니라 완전히 꺾여 버린 거 같은데?"

"꺾여 버렸다고?"

나약해 보이는 닭다리 관절도 비틀어서 꺾으려면 꽤나 힘이 들어간다. 그런데 그보다 훨씬 더 두꺼운 사람의 팔이다. 게다가 털보의 팔은 일반인과 달리 오랜 훈련으로 다져져 강철과도 같이 튼튼하기 이를 데 없었다. 그런 팔을 비틀어 관절을 박살 내 버린다는 게 과연 가능이나 한 일일까? 물론 트롤 같은 몬스터라면 충분히 가능하겠지만.

"이런 젠장!"

털보는 선임을 왈칵 밀쳐 버리고는 라이를 향해 달려들었다. 분기탱천한 그의 눈에는 이제 아무것도 보이는 게 없었다. 고문이고 나발이고, 자신의 오른팔을 못 쓰게 만든 저놈을 처참하게 죽여 버리겠다는 생각뿐이었다. 그의 왼손에는 어느새 뽑아 들었는지 시퍼런 단검이 쥐어져 있었다.

"이, 이봐. 아무리 신경질이 난다고 해도, 죽여 버리면 안……."

하지만 선임의 말은 더 이상 이어지지 못했다. 라이가 자신을 향해 찔러 오는 단검을 묘하게 움직여 피하더니 털보의 팔을 덥석 붙잡았기 때문이다. 그리고 어떻게 한 것인지는 몰라도 털보의 팔이 으드득거리는 소리와 함께 통째로 뽑혀져 버렸다. 순식간에 벌어진 일이다.

"저, 저럴 수가!"

"으아아악!"

털보는 고통에 몸부림치며 땅바닥을 나뒹굴었다. 방금 전까지 팔이 붙어 있었던 그의 왼쪽 어깨에서는 선혈이 분수처럼 뿜어져 나오고 있었다. 사람의 팔을 잡아 뽑아 버리다니! 몬스터라면 몰라도 사람이 저런 괴력을 발휘하는 것은 본 적조차 없었다.

라이의 얼굴은 시간이 갈수록 점점 더 기괴하게 변하고 있었다. 시뻘겋게 달아오른 얼굴에 핏발 선 눈동자. 그리고 온몸의 혈관과 근육은 한껏 부풀어 올라 터지기 일보 직전인 것처럼 보였다. 마치 무슨 괴이한 약물이라도 삼킨 듯한 모습이다.

현재 라이의 몸에서 일어나고 있는 현상은, 금단의 마법에 의한 자기 보호 기능이었다. 각성을 하기 전에 위급한 상황이 닥치면 신체가 지닌 잠재력을 폭발시켜 위기에서 벗어날 수 있는 가능성을 높이는 것이다. 전생의 비술을 통해 태어난 어린 생명체에게는 꼭 필요한 기능이라고 할 수 있었다.

하지만 일반적인 사람들과는 달리 일찍부터 내공에 눈을 떠 버린 라이에게 있어서, 이 자기 보호 기능으로 파급된 여파가 너무나도 컸다. 그가 무의식중에 익히고 있는 내공심법이 무림에서도 최고의 안정성을 자랑한다는 태허무령심법(太虛無靈心法)이 아니었다면, 갑자기 폭주하기 시작한 내공에 의해 주화입마(走火入魔)에 걸리고도 남았으리라.

태허무령심법의 효능으로 인해 간신히 주화입마까지 가지는 않았지만, 지금 라이는 제정신이 아니었다.

"크크크……."

기절초풍할 일이긴 했지만, 아직까지도 레인저들은 평정심을 잃지 않고 있었다. 이런 일이야 중대형 몬스터들을 상대하다 보면 흔히 겪게 되는 일이었으니까.

선임 레인저는 침착한 목소리로 지시했다.

"모두들 침착해라. 저놈을 사람이라고 생각하지 말고, 트롤이라고 생각해라. 헤먼, 넌 우리들이 앞에서 막고 있는 동안 석궁부터 확보해."

그 말이 떨어지기가 무섭게 헤먼은 자신의 석궁을 놔둔 곳을 향해 몸을 날렸다. 동료들이 저 괴물 같은 놈을 막아 줄 거라고 굳게 믿으며.

헤먼의 석궁은 특별히 제작된 것으로, 300미터 안쪽이라면 철판갑옷까지도 꿰뚫어 버릴 정도로 강력한 것이었다. 하지만 문제는 장전하는 데 필요로 하는 시간이 그만큼 길다는 사실이었다.

모두들 긴장해서 라이의 눈치만 살필 뿐, 공격할 엄두는 내지도 못했다. 그들은 사격술에 능통한 레인저였지, 단병(短兵)을 이용한 직접적인 몸싸움은 그리 능하지 못했기 때문이다.

라이를 향해 단검을 겨누고 있는 그들의 손에 식은땀이 흐른다. 저런 괴물을 이런 단검으로 저지해야 한다는 게 그저 기가 막힐 뿐이다.

하지만 다행히도 라이는 멀뚱히 서 있기만 할뿐, 공격해 오지 않았다. 지금이 자신에게 가장 유리한, 최고의 기회라는 것을 모르고 있는 모양이다. 레인저들은 애가 탔다. 그래서는 안 된다는 것을 잘 알면서도 힐끔힐끔 헤먼을 훔쳐보지 않을 수가 없었다.

'아직도 석궁을 장전시키지 못했나? 저러다가 놈이 공격해 오면 엿 되는데…….'

'헤먼, 이 새끼, 왜 이렇게 미적거려. 젠장, 이럴 줄 알았으면 차라리 나도 활을 드는 거였는데…….'

적에 대한 두려움, 그리고 헤먼의 석궁이 장전되는 것을 훔쳐보는 긴장감. 이런 것에 정신이 팔려 그들은 라이가 보이는 행동을 전혀 눈치채지 못했다. 저 미치광이 포로가 자신을 향해 살기를 드러낸 사람만을 공격하고 있다는 사실을…….

이윽고 헤먼이 석궁의 장전을 완료했다. 헤먼이 석궁을 들어 라이를 조준하는 것을 보고서야 모라이어스는 아차 싶었다. 자신이 정신을 놓고 있는 동안에 라이의 목숨이 경각에 달해 있었던 것이다. 그는 재빨리 시위를 뒤로 힘껏 당겼다. 하지만 헤먼이 한발 빨랐다.

텅!

강한 반동과 함께 화살은 엄청난 속도로 라이를 향해 날아갔다. 그런데 레인저들은 곧이어 벌어진 놀라운 광경에 두 눈을 휘둥그레 떠야만 했다.

툭!

철판갑옷도 꿰뚫는 화살이 맨몸인 라이의 몸통을 꿰뚫지 못하고 튕겨져 나온 것이다. 땅바닥에 떨어진 화살의 날카로운 살촉은 마치 해머로 두들긴 듯 뭉툭하게 찌그러져 있었다.

"이…, 이럴 수가……."

"으악! 괴물이다!"

이런 모습을 보고도 전의를 유지할 수 있는 사람이 있을까? 화살이 라이의 몸을 뚫지 못하고 튕겨져 나오는 순간, 레인저들은 공포에 찬 비명을 질러대며 사방으로 뿔뿔이 흩어져 도망쳐 버렸다.

하지만 도망치지 못한 사람도 있었다. 바로 헤먼이었다. 석궁을 발사한 직후 모라이어스가 날린 화살에 맞아 죽어 버렸기 때문이다. 모라이어스는 재빨리 화살을 재장전한 뒤 두 번째 목표물을 찾았지만, 적 레인저들의 발이 워낙에 빨라 한 놈도 조준할 수가 없었다.

이때, 그는 볼 수 있었다. 라이가 핏발선 눈빛으로 자신을 노려보고 있는 것을. 아마 라이는 모라이어스가 자신을 쏘려고 한다고 착각한 모양이다. 소름이 끼칠 정도로 무섭게 자신을 노려보는 라이의 모습에 모라이어스는 본능적으로 죽음의 공포를 느꼈다.

"저…, 저게 대체……?"

몸이 위축되자 시위를 당기고 있던 손에 힘이 들어갈 리 만무하다. 모라이어스는 자신도 모르게 활을 내려 버렸다. 그리고 그것이 그를 살렸다. 더 이상 살기가 감지되지 않자, 라이는 몸을 돌려 어디론가 천천히 걸어가기 시작했던 것이다.

점점 작아지는 라이의 뒷모습을 멍한 얼굴로 바라보던 모라이어스는 갑자기 거칠게 고개를 흔들었다. 마치 정신이라도 차리려는 듯. 그리고 급히 주위를 둘러봤다. 이미 이 근처에서는 그 어떤 인기척도 느껴지지 않았다.

모라이어스는 자리에서 벌떡 일어나 방금 전에 적들이 모여 있던 곳으로 달려갔다. 땅바닥에는 적 레인저의 사체 두 구가 쓰러져 있었다. 하나는 헤먼의 시체였고, 다른 하나는 과다 출혈로 인해 사망한 털보의 시체였다.

하지만 모라이어스는 적의 시체에는 눈길조차 주지 않았다. 그는 급히 헤먼이 쐈던 화살이 떨어져 있는 곳으로 가 그것부터 집어 들었다. 석궁용으로 제작된 짧으면서도 굵은 화살이다. 그것도 보통 물건이 아니라 중심에 철심까지 박아 파괴력을 극대화해 놓은 화살이었다.

그런데 그의 얼을 빼놓은 것은 화살의 촉 부분이었다. 뭉툭하게 찌그러진 모습! 이건 두터운 철판에 맞고 튕겨 나왔을 때에나 볼 수 있는 모양이었다.

"이, 이게 대체 가능한 일일까? 아니, 무엇보다 아까 그놈이, 정말 내가 알고 있던 라이가 맞기는 한 걸까? 아니면 비슷하게 생긴 놈이었나?"

시력이 좋은 모라이어스가 사람을 잘못 볼 리 만무했다. 모라이어스는 오랫동안 그 자리에 서서 고민에 고민을 거듭했지만 답을 찾을 수는 없었다.

그, 그래듀에이트?

DARK STORY SERIES IV

32

불완전한 각성

브로마네스는 시원한 맥주를 양껏 마시며 여유롭게 휴식을 취한 후에야 목적지를 향해 움직였다. 그것도 말을 몰아 산길로 움직인 게 아니라, 공간이동 마법으로 단숨에 이동했다.

소심한 아르티어스는 찌질한 성격 탓에 매사에 조심 또 조심을 하고 있는 모양이었지만, 브로마네스는 이런 자잘한 것들까지 신경 쓰는 드래곤이 아니었다. 흰둥이들이 음모를 꾸미고 있는 사막 지역에 들어간 것도 아닌데, 고작 마법 몇 번 쓴다고 해서 별일이야 있겠냐는 게 통 큰(?) 그의 생각이었던 것이다.

더군다나 이번에 받은 임무는 어딘가로 계속 이동 중인 부대를 찾아내는 것이었기에 금방 끝날 일도 아니었다. 그들이 지금 어디에 있을지 정확히 알 수가 없었으니까.

물론 단서는 하나 있었다. 그건 소식이 끊기기 전, 페델 중대장이 대대장에게 올린 보고서였다. 페델 중대장은 적들이 악마의 골짜기 쪽으로 이동한다면 그곳에서 일망타진할 거라고 했다. 하지만 적들이 악마의 골짜기가 아닌 다른 길로 북상해서 올라간다면 주도로와 합류하기 직전에 있는 험한 골짜기에서 기습을 하겠다고 했다.

브로마네스는 일단 악마의 골짜기로 들어가는 분기점으로 직행했다. 그리고 그곳에서 부대가 이동한 듯한 많은 흔적들을 볼 수 있었다. 어지럽게 나 있는 수많은 발자국들……. 브로마네스는 그걸 보다 고개를 갸웃거렸다. 발자국들이 앞뒤로 겹쳐져 있었기 때문이다. 그렇다면 이들이 저 골짜기 쪽으로 들어갔다가 다시 되돌아 나왔음에 틀림없다. 그걸 보던 브로마네스는 혀를 찼다.

"뭐야, 이거? 악마의 골짜기로 끌어들여 일망타진한다더니, 오히려 당한 모양이군. 쯧쯧, 하여튼 멍청한 놈들은 이렇게 멋진 지형을 가지고도 활용을 할 줄 모른다니까."

어쩌면 페델의 중대도 적의 뒤를 따라 나왔을지도 모른다. 하지만 그럴 가능성은 희박했다. 페델이 일부러 놔줬다면 몰라도 저 안쪽 어딘가에서 적이 방향을 돌려 되돌아서는 순간, 뒤따르던 페델의 중대와 정면으로 부딪칠 수밖에 없었을 테니까.

"흠, 어떻게 된 일인지 거 되게 궁금하네……."

한참을 달려 올라가자 악마의 골짜기로 들어가는 방벽이 보였다. 적들이 남긴 흔적으로 미루어 보아 그들은 방벽 밖으로 나갔다가, 다시 돌아온 게 틀림없었다. 하지만 적들의 뒤를 쫓던 페델 중대의 발자국은 관문에서 연기처럼 사라져 버렸다. 그리고 관문 여기저기에 뿌려져 있는 말라붙은 핏자국들.

"역시 내 예상이 맞았군. 그렇다면…, 이쪽인가?"

곧바로 절벽 쪽으로 걸어가 아래를 내려다보는 브로마네스. 그의 예상대로 절벽 아래쪽은 시체들로 가득했다.

"에이, 병신 같은 놈들. 오히려 적들에게 전멸을 당했잖아. 그나저나 제법 전투가 치열했던 모양이지?"

브로마네스는 일단 절벽 밑으로 내려가 시체를 살펴보기로 했다. 죽은 자는 말이 없다지만, 시체를 살펴보면 제법 많은 것을 알 수 있으니까.

그는 비행마법을 사용하여 절벽 아래로 내려갔다. 아래에 도착하자마자 브로마네스는 절벽 밑까지 내려와 시체를 확인해 보겠다는 자신의 결정이 탁월했음을 느꼈다. 군더더기 없이 갑옷째로 깔끔하게 토막 난 시체들. 그렇다면 답은 뻔했다.

"그래듀에이트? 하지만…, 이런 변두리 영지 싸움에 그런 놈이 참가할 리가 없잖아. 그렇다면……?"

브로마네스는 떨떠름한 표정으로 중얼거렸다.

"설마…, 동족인가?"

만약 드래곤이 유희를 나온 것이라면 작금의 상황이 충분히 이해가 된다. 유희랍시고 끼어들었는데 하필이면 패배하는 쪽에 속해 있었다면, 심술이 나서 깽판을 쳤을 수도 있는 노릇이었으니까.

물론 유희를 하면서 이렇듯 대놓고 능력을 사용하는 경우는 드물었다. 왜냐하면 드래곤이 본신 능력을 쓰면 쓸수록 유희가 재미없어지기 때문이다. 그런 것을 감안해 본다면 용의자는 십중팔구 분가한 지 얼마 되지 않은 어린 드래곤이리라.

"흠, 이건 확인을 해 볼 필요가 있겠군. 만약 우리들이 이곳에서 유희를 하고 있다는 게 다른 드래곤들에게 알려지는 건 조금

곤란하니까 말이야."

그리고 어쩌면 그 어린놈이 실버 드래곤일 수도 있는 만큼 확실하게 확인을 해 볼 필요가 있는 것이다.

*　　*　　*

멍하니 걸음을 옮기고 있던 라이는 갑자기 화들짝 놀란 표정을 지으며 주위를 연신 두리번거렸다. 정신이 돌아온 것이다.

"이…, 이게 도대체……?"

탈영한 지 얼마 지나지 않아, 적들에게 붙잡혀 모진 고문을 당하지 않았던가. 라이는 재빨리 손을 들어 손가락 끝을 바라봤다. 하지만 아무리 살펴봐도 상처라고는 전혀 없었다.

"내가 꿈을 꾼 건가? 아니면, 이게 꿈인가?"

이게 꿈인지 아닌지 확인하기 위해 허벅지를 세게 꼬집었다.

"아얏!"

지금 자신이 꿈을 꾸고 있는 게 아닌 것만은 확실했다. 하지만 도저히 이해할 수가 없었다. 적들에게 사로잡혀 무자비하게 고문을 당했던 기억이 이토록 생생한데, 눈 씻고 살펴봐도 몸에는 그 어떤 상처도 남아 있지 않다니……. 이럴 수도 있는 것인가? 정말 미치고 팔짝 뛸 노릇이다.

'그렇다면 그게 꿈이었나? 하지만 손톱 밑을 파고들던 송곳과 나뭇가지로 인한 끔찍했던 고통이 아직까지도 이렇게 생생한데…….'

머리를 감싸 쥐고 고민하던 라이는 문득 자신의 몸이 너무 서늘하다는 데 생각이 미쳤다. 주위를 둘러보니 울창한 삼림이 우거져 있었고, 해가 지려는지 조금씩 어둠이 깔리고 있었다. 아마 그 때문에 한기를 느낀 것이리라.

그런데 좀 이상했다.

'지금 내가 껴입고 있는 옷이 몇 벌인데 한기가 느껴져?'

더군다나 가죽갑옷 위에는 두꺼운 로브까지 입고 있지 않던가. 로브자락을 여미려고 했지만 손에 잡히는 감각이 이상했다.

"어라?"

고개를 숙여 보니 이게 어떻게 된 일인가!

"헉! 내 갑옷! 내 옷! 그리고 보니 말[馬]하고 식량! 이거 다 어디 갔어?"

자신이 입고 있는 것은 허름한 속옷 한 벌뿐, 그 외에 다른 것은 모두 다 어디로 사라졌는지 알 수가 없었다.

"설마…, 그렇다면 그게 꿈이 아니었다는 건가?"

꿈이 아니라면 더 이상하다. 적들에게 포로로 잡혀 모진 고문을 당하고 있었는데, 어떻게 탈출할 수 있었을까? 백번 양보해서 놈들이 그냥 놔줬다고 해도, 몸에 상처 하나 남아 있지 않다는 건 도저히 설명이 되지 않는다. 설마 자신이 기절해 있는 동안 친절하게 신관을 불러서 상처를 깨끗하게 치료해 줬다면 몰라도.

아무리 생각해도 도무지 영문을 알 수가 없었다.

"젠장. 이럴 줄 알았으면, 튀지 말고 그냥 있을 걸……."

그동안 자신을 잘 보살펴 준 선배를 배신한 탓에 지금 천벌을 받고 있는 게 아닌가 하는 생각까지 들었다.

"왜 이렇게 집 떠난 이후로, 되는 일이 하나도 없는 건지……."

투덜거리던 라이는 곧, 지금 자신이 처한 상황을 깨닫고는 한숨을 길게 내쉬었다. 꿈인지 생시인지 한가하게 고민이나 하고 있을 때가 아닌 것이다. 속옷만 하나 달랑 입고 있을 뿐, 라이가 지금 가지고 있는 건 아무것도 없다. 비상식량은 물론이고, 하다못해 물 한 방울조차 없다.

"우선 물부터 찾아야 해. 나머지는 그 이후에 생각하기로 하자."

억지로 힘을 쥐어짜 터벅터벅 걸으며 라이는 중얼거렸다.

"그래, 어디 한번 갈 때까지 가 보자. 이 빌어먹을 운명이 이기는지, 내가 이기는지."

하지만 그 음성에는 전혀 힘이 실려 있지 않았다.

*　　　*　　　*

"이상하네……. 왜 이리로 왔지?"

브로마네스가 의아해 할 만했다. 그래듀에이트의 흔적을 쫓다 보니 자신이 출발했던 본대가 있는 지점으로 가고 있었던 것이다.

'설마… 기왕에 관여한 거, 아예 끝장을 내려는 것인가?'

하지만 그건 곤란했다. 이곳에 파견된 페가수스 용병단이 붕

괴되어 버리면, 그 피해가 고스란히 자신에게로 미치게 될 테니까. 혼자서만 유희를 즐기는 것이었다면 호비트 따위야 어떻게 되든지 알 바 아니었지만, 이걸 방관해 버렸다가는 자신이 그동안 쌓아 올린 공로가 물거품이 되는 것은 물론이고 아르티어스에게 무슨 잔소리를 듣게 될지 알 수가 없는 것이다.

"젠장! 콩알만 한 새끼가 나를 이렇게 귀찮게 만들다니. 어디 걸리기만 해 봐라. 이쪽 방향으로는 아예 오줌도 싸고 싶지 않도록 만들어 주마."

브로마네스는 추격의 속도를 더욱 높였다.

*   *   *

페가수스 용병단 제35대대는 도렌 영지군과 힘을 합해 적을 더욱 몰아붙이고 있는 중이었다. 적의 숫자가 이쪽보다 워낙 많은 데다가, 그들 또한 전투로 다져진 용병들이다. 약간의 틈이라도 주면 정신을 차리고 전열을 재정비하여 반격을 가해 올 우려가 있었다.

"좀 더 몰아붙여라!"

이쪽에서 워낙 바짝 추격하고 있다 보니, 적들은 도망치는 것 외에 다른 것은 아예 생각하지도 못하고 있었다. 적들을 더욱 공포에 질리게 만들고 있는 건 페가수스 용병단의 선두 부대가 들고 있는 장대 끝에 매달린 머리들이었다. 그건 지휘관급 간부의 머리들이었고, 시간이 지날수록 그 숫자는 점차 불어나 현재는 다섯 개가 되어 있었다.

"후훗, 이 상태라면 이틀 내로 완전히 끝장을 낼 수 있겠군."

미하엘 대대장은 이번 전투가 기대 이상으로 쉽게 풀려나가고 있었기에 기분이 아주 좋았다. 적군의 규모가 예상외로 큰 탓에 아주 어려운 전투가 될 거라고 예상했었는데 말이다. 이게 다 그렉 크레스터라는 혈기 넘치는 소대장 덕분임을 그는 잘 알고 있었다.

'비록 아무런 공치사도 없을 거라고 으름장을 놓긴 했지만, 그럴 수는 없는 노릇이지. 흠, 다른 용병단에서 중대장까지 했었다고 했나? 이번 전투가 끝나면 녀석에게 줄 포상과 진급을 단장님께 청원해야겠군.'

이렇듯 신상필벌을 공정하게 하는 미하엘 대대장이었기에 부하들이 그토록 따르는 것인지도 모른다. 워낙 전투가 잘 풀리고 있는 탓에 미하엘 대대장이 잠시 잡생각을 하고 있을 때였다.

"대, 대대장님! 저기를 보십쇼!"

갑자기 부관이 부르짖는 듯한 소리에 그가 손가락으로 가리키는 곳을 향해 고개를 돌렸을 때, 그는 볼 수가 있었다. 누군가가 엄청난 속도로 전위부대를 향해 접근하고 있는 것을. 놀랍게도 사내는 말을 타고 있지도 않았다.

"그, 그래듀에이트?"

그래듀에이트급의 강자가 무슨 할 짓이 없어서 주 전력이 용병들로 이뤄진 전쟁터에 모습을 드러낸단 말인가. 그것도 전략상으로 하등의 매력도 없는 이런 작은 영지전에 말이다.

사내는 멀리서 엄청난 거리를 도약하더니 아주 간단하게 기마병 하나를 말 아래로 떨어뜨리고는 그가 들고 있던 장대를 낚아챘다. 적 연대장의 목이 매달려 있는 장대였다.

'이해를 할 수가 없어. 왜 저 장대를 뺏는 거지?'

미하엘이 멍한 표정으로 바라보고 있는 동안에도 전방의 상황은 점차 혼란 속으로 빠져들고 있었다. 정체불명의 사내가 적 연대장의 목이 매달린 장대를 빼앗자, 그 주변에 있던 용병과 병사들이 그걸 다시 탈환하기 위해 달려들었다. 하지만 상대가 안 되는 싸움이었다. 사내가 가볍게 검을 휘두르자 반월형의 은빛 선들이 번쩍이는가 싶더니, 그에게 달려들었던 병사들이 줄줄이 말 아래로 쓰러져 버렸다.

사내는 장대 위에 매달린 적 연대장의 머리를 내려 품에 안더니, 맹렬한 속도로 말을 몰아 순식간에 전장 밖으로 사라져 버렸다. 그런 그의 뒤를 쫓아 20여 기의 병사들이 추격하는 게 보였다.

그제서야 겨우 정신을 차린 미하엘은 악을 쓰듯 소리를 지르며 추격 중지 명령을 내렸다.

"추격 중지해! 그자를 추격하지 말란 말이다!"

하지만 그건 이미 때를 놓친 명령이었다. 부하들 역시 전속력으로 말을 몰아 사내를 추격해 달려간 뒤라, 전장의 혼란스러움을 뚫고 그의 음성이 전달되기엔 거리가 너무 멀었다.

"가장 빠른 말을 가진 녀석이 누구냐? 빨리 저 녀석들을 쫓아가서 돌아오라고 전해라."

"옛!"

부관에게 지시를 하자마자 미하엘은 방금 전 접전이 벌어졌던 곳으로 급하게 말을 몰았다. 곧이어 현장에 도착한 미하엘은 자신의 눈이 잘못된 게 아니라는 것을 확인할 수 있었다. 여기저기에 쓰러져 있는 병사들. 그들의 몸은 갑옷째로 깨끗하게 토막이 나 있었다.

시체 주위에 서 있던 병사들은 작금의 사태를 이해할 수가 없는 모양이다. 그들은 여기저기서 공포에 질린 눈빛으로 시체를 바라보며 웅성거리고 있었다.

"어, 어떻게 일검에 사람이 두 토막이 날 수가 있는 거지?"

"전설의 마검(魔劍)이라도 가지고 있는 걸지도……."

"말이 되는 소리를 해라."

웅성거리고 있는 용병들. 그들 중 산전수전 다 겪은 고참 용병 몇몇은 진실을 알고 있었다. 그들 역시 미하엘처럼 새파랗게 질린 얼굴이었다.

'그런데 왜?'

미하엘의 걱정은 바로 그것이었다. 연대장의 목만 가져간 걸로 봐서는 그와 뭔가 연관이 있음에 틀림없다. 설마, 연대장의 아들일까? 그건 아닐 것이다. 만약 그랬다면 그자가 자신들을 가만히 놔뒀을 리 없으니까. 그렇다고 해서 아무런 관계가 없는 건 아닐 것이다. 그렇지 않다면 전쟁터를 뚫고 들어와 연대장의 목을 회수해 갔을 리가 없으니까.

문제는 그자의 행동이 이쯤에서 그칠 것인가 하는 점이다. 만약 그자가 연대장의 복수라도 하겠다며 달려든다면? 겨우 용병 1개 대대 따위는 그래듀에이트를 상대로 10분도 채 안 돼 전멸당할 게 뻔했다.

미하엘은 급하게 전장 여기저기에 흩어져 있는 중대장들에게 전령을 보냈다.

"작전을 중지하고, 모두 회군하라."

더 이상 생각할 것도 없었다. 최대한 빨리 도망쳐서 도렌 영주와 합류하는 것만이 살길이었다. 제아무리 그래듀에이트라고 해도 국왕이 임명한 영주의 목을 베는 짓은 하지 못할 테니까.

올란도는 가능하면 적들을 베지 않고 그냥 놔두려고 했었다. 용병이라는 게 돈을 위해 목숨을 거는 직업인 만큼, 연대장을 죽인 것에 대해 복수할 생각까지는 없었다. 악마의 골짜기에서 수십여 명의 적들을 벤 것만으로도 그의 분노는 이미 어느 정도 가라앉은 상태였으니까. 더군다나 이곳에 와서도 꽤 많은 적병들을 베지 않았나.

하지만 끈질기게 뒤쫓아 오며 화살까지 쏴 댄다면 얘기가 달라진다.

"으드득. 조용히 가려 했건만, 이것들이 명을 재촉하는군."

올란도는 고삐를 잡아당겨 말을 세우지도 않고, 곧바로 말 등에서 뒤쪽으로 도약했다. 추격하던 적병들은 설마 말 위에 탄 사람이 저런 식으로 움직일 수 있을 거라고는 상상조차 하지 못했기에 당황한 표정이 역력했다. 달려오는 적병들과 올란도의 몸이 교차하는 순간, 그의 주변으로 은빛 궤적들이 빛을 내뿜었다.

"크아악!!"

"크윽!"

사람은 몽땅 다 해치웠지만, 말은 단 한 필도 죽이지 않았다. 왜냐하면 본대로 돌아가려면 말 한 필이 필요했으니까. 저들 중에서 가장 실한 놈을 한 마리 고를 생각이었던 것이다.

"어떤 놈을 가져갈까?"

자신들을 몰던 주인들이 사라지자 말들은 걸음을 멈추더니 휴식을 취하거나 풀을 뜯기 시작했다. 그런데 그중 딱 한 필만이 주인의 시체에 다가가 코를 박고 냄새를 맡고 있었다.

"허, 미물이긴 하지만 주인을 위하는 충정이 정말 기특하구나."

중얼거리긴 했지만, 사실 그는 이미 마음을 정한 후였다. 주인을 그리워하는 놈. 주인이 얼마나 녀석을 위해 줬는지는 알 수가 없지만, 녀석의 충성심만은 마음에 들었다. 꼭 자신의 것으로 하고 싶을 정도로.

올란도가 이마에 하얀 점이 길게 나 있는 밤색 말을 향해 걸음을 옮기고 있을 때였다. 뭐라고 형언하기 힘든 이상한 기운이 등 뒤쪽에서 느껴지는 걸 느꼈다.

'설마?'

아무도 없을 거라고 생각했지만, 그래도 그 느낌이 그냥 무시하고 가기에는 힘들 정도로 강했다. 힐끗 뒤를 돌아보는 순간,

올란도는 자신과 그리 멀리 떨어져 있지 않은 곳에 잘생긴 청년 한 명이 서 있는 걸 볼 수 있었다.

황금색 머리카락이 부드럽게 흔들거리며 굳건한 어깨 위로 드리워져 있다. 완벽한 전사의 몸매를 지니고 있으면서도, 저렇게까지 이지적(理智的)인 얼굴을 가질 수가 있다니.

"귀하는 누구……?"

청년이 대답하기도 전에 올란도는 상대의 정체를 눈치챌 수가 있었다. 이지적인 얼굴에 감춰져 있는 순수한 광기(狂氣)를 읽은 것이다. 맨 정신인 사람이 저런 눈빛을 가질 수는 없다. 완전히 미치지 않고서야…….

청년은 잠시 올란도를 뚫어져라 쳐다보다 어이가 없다는 듯 중얼거렸다.

"젠장! 철모르는 애송이가 지랄을 한 걸로 생각했더니, 하찮은 호비트였잖아. 이런 쓰레기 같은 것이 감히 나로 하여금 헛걸음을 하게 만들어?"

그 말에 올란도는 심장이 멎을 만큼 놀랐다. 눈빛에 일렁이는 순수한 광기를 보고 혹시나 했는데, 그 짐작이 맞은 것이다. 하지만 그렇다고 해서 정신줄을 놔 버릴 수도 없는 상황.

'어떻게 해야 하지?'

아무런 생각도 들지 않았다. 드래곤과 직접 대면한 것은 이게 처음이었으니까. 타이탄이 떼거리로 덤빈다고 해도 대적이 불가능한 유일한 생명체가 바로 드래곤이다. 그런 상대를 앞에 두고 뭘 할 수 있단 말인가.

전력을 다해 도망칠까 말까 고민하고 있는 올란도에게 청년의 모습을 한 드래곤이 문득 이상한 질문을 던졌다.

"그래듀에이트가 왜 여기에 와 있는 거지? 누구의 명령을 받고 온 거냐?"

"제 자의로 온 것입니다. 이분께 신세 진 게 있었으니까요."

올란도는 들고 있던 목을 드래곤에게 슬쩍 들어 보여 주며 말을 이었다.

"복수까지 할 생각은 없었습니다. 시신만 수습할 수 있으면 그걸로 충분합니다."

드래곤이 왜 이곳에 나타난 것인지 그 이유를 짐작할 수 없기에 그렇게 말을 맺은 것이다. 하지만 드래곤에게서 의외의 질문이 날아왔다.

"자의로 왔다니……. 국왕을 섬기는 검(劍)이 자의로 움직인다는 게 가능한 일인가?"

"저는 국왕을 섬기지 않습니다."

"그럼 너는 누구를 섬기고 있느냐?"

"… 아무도 섬기고 있지 않습니다."

올란도가 침통한 표정으로 어렵게 대답을 하자, 드래곤은 곧바로 상상하기 힘든 제안을 해 왔다.

"그래? 그것 참 잘됐군. 너, 나를 섬길 생각은 없냐?"

"서, 섬기라구요……?"

순간, 올란도의 뇌리에는 드래곤과 관련된 수많은 전설들이 무질서하게 떠올랐다가 사라져 갔다. 그중에는 사람을 세뇌하여 노예로 부린다는 것도 있었다.

올란도는 입술을 질끈 깨물었다. 삶에 대한 미련이 있는 건 아니지만, 그렇다고 도마뱀의 노예가 되어 비참하게 사는 건 싫었다. 더군다나 세뇌를 당해 자신을 잃고, 마치 꼭두각시처럼 살게 되는 건 더욱 싫었다. 하지만 싫다고 대답할 수조차 없었다. 그럼 어떤 꼴을 당하게 될지 충분히 짐작할 수 있었기에…….

'죽이든지, 아니면 세뇌해서 노예로 쓰겠지.'

어떻게 할까 갈등하는 올란도에게 청년이 으스대듯 입을 열었다.

"너같이 하찮은 호비트 놈에게 내가 이런 제안을 한 것을 영광으로 생각하도록 해라. 에이, 성질 같아서는 내 맘대로 확 뒤집고 싶은데. 그러면 노랭이 놈이 지랄할 게 뻔하니, 쩝."

워낙 갑작스런 일이었기에 올란도가 생각을 채 정리하지 못하고 아무 대답도 하지 않자 청년이 심드렁한 표정으로 말을 이었다.

"물론 일이 다 끝나고 난 다음에 보수는 섭섭하지 않게 챙겨 주도록 하마."

그 말에 올란도의 두 눈에 약간이나마 희망의 빛이 어렸다. 그 일이 뭔지는 모르겠지만 언젠가는 자유롭게 풀어 준다는 의미이지 않겠는가.

물론 이건 순전히 올란도만의 생각이었고 상대의 생각은 다를 수도 있다. 드래곤이 지불하는 보수가 꼭 재화(財貨)라는 법

은 없었으니까. 최악의 경우 실컷 일해 주고 죽임을 당하거나,
아니면 드래곤의 뱃속에 들어가는 일도 비일비재했던 것이다.

"대체 무슨 일이신데 절 필요로 하십니까, 위대한 분이시여."

"뭐, 그렇게 어려운 일은 아니야. 핫핫핫……."

사내답게 잘생긴 얼굴에 어울리는 호쾌한 웃음. 하지만 그 모
습을 바라보는 올란도의 마음은 더없이 찜찜하기만 했다.

일용할 양식

32

불완전한 각성

산속을 헤맬 때 냇물을 따라 이동할 수만 있다면 정말 좋겠지만, 현실은 그렇지 못했다. 라이는 서쪽으로 진로를 잡았다. 메르헨 영지가 있는 곳은 남쪽이었고, 도렌 영지는 북쪽에 있다. 동쪽으로 가면 산맥에 막혀 더 이상 갈 수가 없다. 그렇다면 그가 가야 할 방향은 서쪽밖에는 없었다.

계속 걸어가다 보면 새로운 영지가 나타날 것이고, 운이 좋다면 살길을 찾을 수 있으리라.

냇가를 벗어난 후, 굶기 시작한 지가 며칠이나 흘렀는지 라이도 잊어버렸다. 도중에 토끼와 같은 작은 짐승들을 몇 번 보기는 했지만, 그에게는 그걸 잡을 방법이 전혀 없었다.

"배고파……."

이젠 더 이상 걸을 힘도 없다. 라이는 이대로 땅바닥에 털썩 주저앉고만 싶었다.

'조금만 앉아 있어도 너무너무 편할 거야…….'

유혹이 심하게 느껴졌지만 이를 악물고 참았다. 한 번 주저앉으면 도저히 다시 일어날 수 있을 것 같지가 않았던 것이다.

라이는 지팡이 삼아 들고 있던 나뭇가지에 힘을 줘 조금씩 발

걸음을 옮겼다. 처음에는 무기로 쓴답시고 나뭇가지를 주워 끝을 뾰족하게 갈아 놨지만, 지금은 지팡이로 요긴하게 써먹고 있는 중이다.

"정신이 있을 때 조금이라도 더 걸어야 해. 그나저나 이 근처에 냇물이 없나?"

물이라도 잔뜩 들이키면 잠시나마 배고픔이 사라질 텐데……. 그리고 돌 틈을 뒤지다가 운이 좋다면 가재나 다슬기 따위를 잡아먹을 수도 있다.

이때, 갑자기 그의 코에 희미한 악취가 감지되었다. 그리고 그 악취는 지금까지 잊고 있었던, 떠올리기도 싫은 악몽과도 같은 기억을 떠올리게 했다.

"젠장. 배가 고프다 보니 이제는 별 거지 같은 냄새까지 다 느껴지네."

하지만 그의 뇌리에 떠오른 것은 개고생을 했던 끔찍했던 기억이 아니라, 특유의 노린내만 참을 수 있다면 씹으면 씹을수록 고소했던 오크 고기의 맛이었다. 그러자 군침이 저절로 입에 고였다. 그리고 배가 요동을 쳤다. 배가 고프다 못해 이젠 쥐어짜듯 아프기까지 했다. 극한 상황에 처하면 헛것이 보이거나 들리는 것처럼, 너무 배가 고프다 보니 있지도 않은 냄새까지 느껴지는 거라고 라이는 생각했다.

'오크가 이런 곳에 있을 리가 없잖아. 저 위쪽에 얼마나 굳건한 방어선이 쳐져 있는데…….'

그런데 그때였다. 갑자기 오크 냄새가 더욱 짙게 풍겨 왔다.

그리고 뒷골이 섬뜩해지는 이상한 기분. 바람이 아주 약하게 뒤쪽에서 앞을 향해 불고 있다는 것에 생각이 미치자마자, 라이는 급하게 앞으로 몸을 날리며 땅바닥을 굴렀다.

그와 동시에 '부웅!' 하는 등골이 오싹한 소리가 뒤에서 들려왔다. 라이는 재빨리 몸을 일으키며 뒤로 돌아섰다. 오랜 세월 훈련으로 다져진 그의 몸은 자신도 모르게 나무창으로 방어 태세를 취하고 있었다. 금방이라도 쓰러질 것만 같았는데 아직도 이런 힘이 남아 있다는 게 자신이 생각해도 신기할 정도다.

놀랍게도 그의 눈앞에는 오크 한 마리가 몽둥이를 들고 황당한 표정으로 서 있었다. 휘청거리며 다 죽어 가던 먹잇감을 향해 휘두른 몽둥이가 빗나간 게 너무나도 어이가 없었던 모양이다. 곧바로 2차, 3차 공격을 해야 했음에도, 멍청하게 그냥 서 있는 것을 보면 말이다.

오크를 보자 라이는 마치 불알친구라도 만난 듯 반갑게 외쳤다.

"고기닷!"

자신이 오크의 뱃속에 들어갈지도 모른다는 생각은 아예 하지도 않았다. 그저 저 불룩 튀어나온 뱃살만 봐도, 입가로 군침이 줄줄 흘러내렸다.

"저 토실토실한 뱃살 좀 봐! 이건 분명 대지의 여신께서 나를 불쌍히 여기셔서 하사하신 양식임에 틀림없어. 감사히 먹겠습니다, 여신이시여. 흐흐흐."

죽기 아니면 까무러치기였다. 어차피 굶어 죽으나 오크에게 맞아 죽으나 매한가지였으니까. 하지만 저놈을 잡을 수만 있다면……. 꿀꺼덕! 생각만으로도 입 안 가득 솟구쳐 오르는 군침을 억제할 수가 없었다.

그런 라이를 바라보던 오크 녀석이 한 방에 끝내지 못한 게 무척 짜증 난다는 듯 거칠게 콧소리를 내며 성큼성큼 거리를 좁혀 왔다. 그리고 라이를 향해 커다란 몽둥이를 힘껏 휘둘렀다. 상대는 며칠 굶은 듯한 행색을 하고 있는 비쩍 마른 호비트, 조심할 필요가 없는 것이다.

상대를 깔보고 무식하게 공격을 크게 하면 반드시 빈틈이 생기게 마련이다. 라이는 살짝 몸을 틀어 몽둥이를 피하며 오크의 품속으로 파고들었다.

"취익?"

순간 오크의 눈에 당혹감이 떠올랐다. 그리고 라이의 나무창이 오크의 몸 속 깊이 파고든 것은 거의 동시였다.

"크아악!!"

사람이라면 치명상을 입을 정도의 강력한 일격이었지만, 오크는 쓰러지지 않았다. 오크는 고통에 인상을 찡그리면서도 몽둥이를 들어 올려 수평으로 강하게 휘둘러 왔다. 이번에도 부웅 하는 파공성이 울려 퍼질 정도의 큰 공격이었다.

라이의 눈이 휘둥그레졌다. 치명상을 입혔다고 생각했는데 설마 곧바로 반격을 할 거라고는 예상조차 못한 것이다. 피하려고 안간힘을 썼지만 지칠 대로 지친 몸이 말을 듣지 않았다.

퍼억!

몽둥이에 정통으로 얻어맞은 라이의 몸은 충격을 못 이기고 붕 떠올랐다가 땅바닥을 몇 바퀴 구른 뒤 나무에 부딪치며 그 움직임을 멈췄다.

"취익……!"

오크는 거칠게 콧소리를 내며 몸에 박힌 나무창을 뽑아 땅바닥에 내팽개쳤다. 나무창이 뽑혀 나오며 피가 흘러나오긴 했지만, 그리 깊은 상처는 아니다. 오크는 쓰러트린 호비트를 향해 몸을 돌렸다. 모처럼 사냥한 호비트인 만큼 들고 가서 동료들과 나눠 먹으려는 것이다.

하지만 어느샌가 호비트가 일어서서 자신을 바라보고 있는 게 아닌가.

"취익?"

오크는 인상을 찡그렸다. 한 방이면 골로 보낼 줄 알았는데, 아무래도 좀 약했던 모양이다. 뭐, 고기야 패면 팰수록 부드러워지니 몽둥이를 한 번 더 휘두르는 수고 정도야 언제든 환영이다. 마지막 일격을 가하기 위해 라이에게로 성큼성큼 다가선 오크.

부웅!

이번에는 확실히 마무리하기 위해 호비트의 머리통을 향해 몽둥이를 내리쳤다. 아예 골통을 으깨 놓을 작정이었던 것이다. 그 순간 오크의 두 눈이 도저히 믿을 수 없는 광경에 접시처럼 휘둥그레졌다. 방금 전까지만 해도 비실거리던 놈이 자신이 있는 힘껏 휘두른 몽둥이 공격을 맨손으로 막아낸 것이다.

"취익?"

오크의 얼굴에 당혹감이 떠오른 순간, 라이가 주먹을 휘둘렀
다.

퍼억!

오크에 비한다면 가냘퍼 보이기까지 한 인간의 주먹. 그런데
놀랍게도 그 주먹에 가슴이 움푹 함몰된 오크가 주저앉듯 쓰러
졌다. 검으로 찔러도 치명상을 입히기 힘들다는 강인한 오크가
인간의 주먹 한 방에 죽은 것이다. 그리고 그 한 방에 자신의 모
든 힘을 다 소모했다는 듯 라이 역시 그 옆에 픽 쓰러져 버렸다.

"끄응……."

오크의 몽둥이에 가격당할 때는 정말 죽는 줄만 알았다. 아
니, 정말 죽어 버린 줄 알았다. 얼마나 충격이 컸던지 정신줄까
지 놔 버렸을 정도였으니까.

'내가…, 지금 살아 있는 건가?'

눈을 감은 채 손가락 끝을 살그머니 움직여 봤다. 손가락이
움직이는 것 같긴 했지만 눈을 떠 확인할 엄두는 도저히 나지
않았다.

'살아 있으면 뭐 해. 또다시 잡혀 왔는데…….'

자신도 모르게 눈물이 주르륵 흘러내렸다. 그 악몽과도 같았
던 오크의 노예생활을 또다시 해야 하다니. 어쩌면 이번에는 살
아남지 못할지도 모른다.

'그래! 기왕에 죽을 거 빨리 죽자. 그때 그 개고생을 하면서

확실히 배웠잖아. 밖에서 도와주지 않는다면, 결코 살아서 나갈 수가 없다는 것을.'

라이는 눈을 번쩍 뜨며 몸을 일으켰다. 그리고 될 대로 되라는 심정으로 외쳤다. 오크를 도발해서 빨리 잡아먹힐 요량으로.

"야, 이 돼지 새끼들…, 어?! 오크 굴이 아니잖아."

라이는 어리둥절한 표정으로 주위를 두리번거렸다. 작금의 상황이 도저히 이해가 되지 않았다. 이때 자신의 옆에 쓰러져 있는 오크가 눈에 들어왔다.

"이, 이게 어떻게 된 일이지?"

불가사의한 일이라도 보는 듯 이 상황을 도저히 믿을 수가 없었다. 하지만 그런 의구심은 극심한 배고픔에 밀려 연기처럼 사라졌고, 라이의 얼굴에는 환한 미소가 피어올랐다. 드디어 먹을 수 있게 된 것이다. 고기를! 라이는 정신없이 오크에게로 달려들었다.

불을 피울 도구도 없고, 오크의 사체에서 고깃덩이를 잘라 낼 만한 칼조차 없다. 하지만 그렇다고 해서 오크 고기를 먹을 수 없느냐 하면 그건 아니다. 라이는 오크의 팔을 덥석 붙잡은 뒤 주저하지 않고 이빨로 물어뜯었다.

오크의 피부는 강한 햇빛조차 감당하지 못할 정도로 여렸기에 이빨로 물어뜯자마자 비릿한 피가 왈칵 뿜어져 나왔다. 라이는 뿜어져 나오는 피를 고개를 돌려 피하기는커녕 반갑다는 듯 쪽쪽 빨아 마셨다. 피 냄새가 너무나도 향기롭게 느껴졌다. 죽은 지 얼마 되지 않아서인지 피는 아직 따뜻했다. 따뜻한 피가 뱃속에 들어오니 정말 살 것만 같았다.

부스럭.

그런데 이때 수풀 속에서 웬 사내 하나가 갑자기 튀어나왔다. 사내의 갑작스런 출현에 라이는 기절초풍할 듯 놀랐다. 용병단에서 탈영한 자신을 잡으러 온 추격자인 줄 착각했던 것이다.

"허억!"

깜짝 놀란 건 사내 역시 마찬가지였다. 이런 깊은 산골짜기에서, 오크 팔을 붙잡고 뜯어먹고 있는 사람이 있을 줄이야. 상대의 얼굴은 물론이고, 몸 여기저기가 온통 붉은 피로 얼룩져 있었다. 도저히 사람처럼 보이지가 않았다.

'저게 사람이야, 몬스터야?'

사내가 자신을 당혹스런 눈빛으로 바라보고 있을 때, 라이는 상대의 약점을 파악하기 위해 열심히 눈알을 굴렸다. 튼튼해 보이는 투구, 사슬갑옷으로 몸 전체를 두른 것만으로도 모자라 조끼처럼 생긴 철판갑옷으로 몸통을 보호하고 있다. 엄청나게 무거울 것 같다는 생각에 앞서, 라이에게 떠오른 것은 절망감이었다. 도저히 몽둥이 따위로는 어떻게 해 볼 수 있는 상대가 아닌 것이다.

라이가 깊은 절망감에 허탈한 표정을 짓고 있을 때, 사내가 칼을 앞으로 쭉 내밀며 소리쳤다.

"대체 몬스터냐? 아니면 사람이냐?"

몬스터냐고 묻는 것을 보면 자신을 붙잡으러 온 추적자는 아닌 것 같았다. 하기야 사내의 모습은 지금까지 흔히 보아 왔던 용병의 그것이 아니었다. 용병들은 화려함보다는 실리를 추구한다. 그리고 자신의 무장이 겉으로 드러나는 것을 최대한 꺼렸다. 미세한 차이가 자신의 목숨을 구해 줄 수도 있다는 것을 잘 알고 있기에.

그런 이유 때문에 용병들은 갑옷을 입고 그 위에 원피스 형태인 헐렁한 로브로 몸을 감싼다. 자신이 어떤 갑옷을 입고 있는지, 또 그 갑옷의 틈새는 어딘지를 철저히 숨기기 위해서다. 하지만 눈앞의 사내는 로브로 갑옷을 숨기기는커녕 망토만을 어깨에 두르고 있을 뿐이다. 그 때문에 사내가 지금 입고 있는 갑옷이 어떤 건지 적나라하게 드러나 있었다.

이때, 사내의 갑옷은 물론이고 칼에까지 아직 말라붙지도 않은 피가 흠뻑 묻어 있는 게 라이의 눈에 띄었다. 어쩌면 이 사내는 자신을 잡으러 온 게 아니라, 오크와 싸우다가 우연히 이쪽으로 온 것인지도 모른다.

살 수 있다는 희망이 느껴지자 라이는 급히 대답했다.

"저, 저는 사람입니다. 몬스터 따위가 아니라 진짜 사람이라구요."

"정말이냐?"

순간 사내의 칼이 조금 아래로 내려가긴 했지만, 그의 눈빛에서 의심이 완전히 사라진 것은 아니었다. '저놈이 왜 나를 저런 눈빛으로 보는 거지?' 의아해 하던 라이의 눈에 띈 것은 오크의 피로 시뻘겋게 물들어 있는 자신의 손이었다.

라이는 급히 소매로 입부터 닦았다. 사내가 왜 자신을 보고 몬스터 운운했는지 그 이유를 깨달은 것이다.

라이는 어색한 미소를 지으며 변명했다.

"지금 제 꼴이 어떤지는 저도 잘 알고 있습니다. 하지만 당신
도 산속을 헤매면서 4일씩이나 굶어 보십쇼. 이런 거라도 안 뜯
어먹고 배길 수 있는지."

그 말에 사내의 칼이 조금 더 밑으로 내려갔다.

"길을 잃었나? 하지만 여기는……."

"저는…, 상인입니다. 이 지역 마을들을 돌며 물건을 팔면 꽤
짭짤하게 수익을 남길 수 있다는 얘기를 듣고 들어왔다가 산적
을 만나 깨끗하게 털렸죠. 기회를 봐서 탈출하긴 했습니다만,
산속에서 길을 잃어서……."

몬스터들이 득실거리는 변방을 돌며 보따리 장사를 하는 게
이익이 큰 것은 사실이었다. 위험도가 큰 만큼 경쟁자가 거의
없기 때문이다.

변명이 먹혀 들어간 모양이다. 하기야 지금 라이가 하고 있는
꼴을 본다면 누군들 그 얘기에 속아 넘어가지 않을 수가 있겠는
가. 사내는 칼을 거두더니, 품속을 뒤져 육포 몇 조각을 꺼내 던
져 줬다.

"그런 줄도 모르고 오해해서 미안하네. 아무리 배가 고프다고
해도 그렇지, 오크를 뜯어먹고 있다니. 지금 가진 게 이것밖에
없는데……. 대충 이걸로 허기라도 때우도록 하게."

"가, 감사합니다."

허겁지겁 육포를 씹고 있는 라이를 보며 사내는 그제서야 라

이를 완전히 믿은 모양이다.

"나는 젠슨이라고 하네. 젠슨 미티어."

"저, 저는 라이라고 합니다."

대답을 하다가 목이 메었는지 가슴을 통통 치고 있는 라이를 보자 젠슨은 급히 물통을 꺼내 들고 가까이 다가왔다. 그는 물통을 건네주며 걱정스럽다는 듯 말했다.

"천천히 먹게. 그러다 체하겠네."

젠슨이 옆으로 다가오자 갑자기 지독한 악취가 느껴졌다.

'흐윽!! 이, 이게 무슨⋯⋯.'

젠슨이 가까워 옴과 동시에 냄새가 느껴진 것을 보면, 젠슨의 몸에서 나는 악취인 모양이다. 하지만 라이는 인상을 찡그리지 못했다. 자신의 목숨을 구해 준 구세주와도 같은 사람이었으니까. 하지만 라이는 몰랐다. 자신의 몸에서도 그와 유사한 악취가 진동하고 있다는 사실을.

젠슨이 건네준 육포를 게 눈 감추듯 먹어 치운 후에도 양이 차지 않았던 라이는 물통 속의 물까지 탈탈 털어 마신 후에야 만족스런 한숨을 내쉴 수 있었다.

"휴우~, 이제야 좀 살 거 같네요."

이때, 젠슨이 나왔던 수풀 쪽에서 말발굽 소리가 들려왔다. 아마도 젠슨의 동료들이 이쪽으로 오고 있는 것이리라. 오크가 말 타고 다닌다는 소리는 들어 본 적도 없으니까.

잠시 후, 수풀을 헤치며 세 사람이 말을 타고 나타났다. 선두에서 말을 몰고 있는 사내는 젠슨보다 기골이 더욱 장대했다. 그 역시도 로브가 아닌 망토를 걸쳐 화려한 갑주를 그대로 드러내고 있었다.

하지만 그 뒤를 따르는 두 사람은 덩치가 왜소했을 뿐만 아니라, 망토가 아닌 로브를 걸치고 있었다. 로브로 몸을 가리고 있어 자세히 알 수는 없지만, 왜소한 체구로 보아 소년들인 것 같았다. 그것을 보고 라이는 젠슨과 저 사내가 기사(Knight)일 거라고 추측했다.

기사들의 경우 시중을 들어줄 종자를 데리고 다니는 것은 필수였다. 용병들과 달리 기사들은 젠슨처럼 엄청난 중장갑을 몸에 두른다. 때문에 개개인의 전투력이야 막강할지 몰라도, 종자의 도움 없이는 말에 오르기도 힘들었다. 몸에 걸친 갑주의 무게가 40Kg을 상회하기 때문이다.

기사들의 뒤를 따라다니며 시중을 들어 준다고 해서 종자들의 신분이 노예나 하인은 아니다. 그들은 엄연히 미래의 기사를 꿈꾸는 꿈나무들이다. 종자를 노예처럼 부려 먹다가 헌신짝처럼 소모해 버리는 쓰레기들도 간혹 있긴 했지만, 대부분의 기사들은 종자의 교육에 힘썼다. 싸울 때는 자신의 뒤를 지켜 주는 든든한 동반자가 되기 때문이다.

사내의 바로 뒤를 쫓고 있는 종자는 꽤나 수련을 많이 한 모양인지, 고삐를 쥐지도 않고 말을 몰고 있었다. 그는 두 손으로 활시위에 화살을 건 채 주위를 둘러보고 있었다. 언제든지 화살을 날릴 수 있도록…….

가장 뒤에서 말을 몰고 따라오는 왜소한 덩치의 종자의 손에는 주인 없는 말의 고삐가 쥐어져 있었다. 아마도 젠슨의 말인 듯싶었다.

사내가 타고 있는 말은 물론이고, 그의 갑옷 여기저기에까지 붉은 피가 묻어 있는 것으로 보아 이 근처에 살고 있던 오크의 숫자가 한둘이 아니었던 모양이다.

라이는 자신도 모르게 안도의 한숨을 푹 내쉬었다. 만약 저들이 없었다면 자신이 어떻게 되었을지 그제서야 깨달은 것이다. 아무리 배가 고파도 그렇지, 오크 소굴 근처에서 오크를 때려잡아 뜯어먹고 있었다니. 죽으려고 환장을 한 게 아니고서야 할 수가 없는 일인 것이다.

라이의 근처까지 다가온 사내는 말을 세우며 젠슨에게 질문을 던졌다. 투구 사이로 흘러나온 그의 목소리는 아주 굵으면서도 부드러운 저음이었다.

"젠슨, 그 사람은 누군가?"

젠슨은 사내에게 라이에게 들은 그대로를 전했다. 장사를 하러 이곳으로 왔다가 산적을 만나 몽땅 다 털리고, 4일씩이나 굶은 사람이라고 말이다.

라이를 위험한 인물로 생각하지 않았는지, 사내는 고개를 끄덕이며 말에서 내린 뒤 투구를 벗어 말안장에 걸었다. 그러자 라이의 시야에 들어오는 사내의 얼굴. 처음에 예상했던 대로 강인하면서도 노련해 보이는 인상의 사내였다. 나이는 40대 후반쯤 되었으리라. 길게 기른 머리카락과 덥수룩하게 자라 있는 수

염까지도 은색이다.

"아주 운이 좋은 친구로군. 저런 조잡한 창으로 오크를 죽인다는 게 결코 쉬운 일은 아니었을 텐데……."

얼핏 보면 오크의 복부에 나 있는 상처가 꽤 깊은 것처럼 보였다. 라이가 오크의 팔을 뜯어먹을 때 흘러나온 피가 그 주위를 온통 피범벅으로 만들어 놨기 때문이다. 하지만 사내가 상처를 제대로 살펴봤다면 자신의 판단이 틀렸음을 금방 알아차렸을 것이다. 겉보기와는 다르게 상처가 그다지 깊지 않았으니까. 그 정도의 어설픈 상처로는 오크를 절대로 죽일 수가 없었다.

사내는 라이를 향해 천천히 입을 열었다. 어딘지 모르게 아랫사람을 많이 부려 본 듯한 관록이 배어 있는 말투였다.

"나는 노아 리치몬드라고 한다네. 어디 다친 데는 없는가?"

라이는 오크에게 몽둥이찜질을 당한 곳을 얼른 손바닥으로 누르며 대답했다.

"여기가 좀……. 뼈가 부러진 것 같지는 않지만, 아주 아픕니다."

"흠, 조잡한 창만으로 오크를 잡았는데, 그 정도 상처밖에 입지 않았다면 자비의 여신께서 특별히 은총을 베풀어 주셨다고 봐야겠지."

리치몬드는 곧이어 뒤쪽으로 고개를 돌리며 말했다.

"소피아 수녀님, 이 사람의 상처를 좀 부탁드려도 될까요?"

가장 뒤에서 젠슨의 것으로 보이는 말을 끌고 따라왔던 왜소한 덩치의 사내. 라이는 그가 이 파티에서 가장 나이 어린 종자라고 예상했었지만, 그게 아니었다. 놀랍게도 사내가 아닌 여사제였다. 겨우 4명밖에 되지 않는 작은 파티에 사제가, 그것도 희귀한 여사제가 끼어 있을 줄이야.

라이는 멍한 눈빛으로 소피아 수녀를 바라보며 자신이 아주 운이 좋다고 생각했다. 이런 오지산골에서 사람을 만난 것만 해도 굉장한 행운인데, 거기에 여사제까지 끼어 있다니.

소피아 수녀는 가벼운 몸놀림으로 말에서 내렸다. 그리고 한 발 한 발 다가오기 시작했다. 서로 간의 거리가 가까워지자 깊숙이 눌러쓴 후드의 그림자 속에 숨겨져 있던 그녀의 얼굴을 훔쳐볼 수 있었다. 너무나도 아름다워 도저히 사람이라고는 생각조차 하기 힘든 미모였다. 라이는 여사제의 얼굴을 감히 쳐다볼 생각도 하지 못하고 고개를 푹 숙였다. 그의 얼굴은 어느새 발갛게 달아올라 있었다.

쑥맥 같은 라이의 반응에 소피아 수녀는 살포시 미소 지었다. 겉보기와 달리 그녀의 나이가 꽤 많은 것도 있었지만, 순진한 라이의 표정에 꼭 어린 동생을 보는 듯했기 때문이다.

'참, 귀여운 아이네……'

"아픈 데가 어디야? 말 놔도 괜찮지?"

"물론이죠, 수녀님. 이…, 이쪽입니다."

"여기?"

"예? 예, 수녀님."

곧이어 일반인들은 알아들을 수 없는 주문이 그녀의 입에서 흘러나오기 시작했다. 신성마법의 주문은 마법사들의 주문과 달리, 마치 노래와도 같아서 귀를 즐겁게 해 줬다. 더군다나 부드러운 손짓까지……. 마법의 사용을 위한 주문이 아니라 신께 대한 찬송과 경배를 보는 듯 아름답기까지 했다.

이윽고 그녀의 손에서 희뿌연 빛이 뿜어져 나오기 시작하자 그녀는 재빨리 두 손을 라이의 상처 위에 올려놨다. 이런 광경은 몇 번 봤음에도 불구하고 굉장히 비현실적으로 느껴졌다. 통증이 빠른 속도로 사라지기 시작했다.

희뿌연 빛이 사라지며 치료가 끝나자, 라이는 소피아 수녀에게 감사를 표했다.

"이제 다 나은 거 같습니다. 정말 감사합니다, 수녀님."

"뭘, 이 정도 가지고 감사는. 내상(內傷)이라서 제대로 치료가 되었는지 확신할 수 없거든. 그러니 혹시라도 상처 부위가 계속 아프면 나한테 곧바로 말해. 다시 한 번 치료를 해 줄 테니까."

"예, 신경 써 주셔서 정말 감사합니다."

라이에게 구원의 손길을 내민 일행은 이 근처 가까운 마을까지 그를 데려다 주겠다고 했다. 오크와 같은 몬스터들이 득시글거리는 숲 속에 무기도 없이 맨손인 상인을 그냥 내버려 둔다는 건 곧 죽으라는 말이나 마찬가지였기 때문이다. 몇 번이고 고맙다며 고개를 숙이는 라이에게, 일행의 리더인 리치몬드는 별것 아니라는 듯 말했다.

"우리에게 신세를 졌다고 생각할 필요는 없다네, 젊은이. 평소 이렇게 선행을 베풀어 둬야, 자비의 여신께서 우리가 위험해 처했을 때도 도움을 주실 게 아니겠나."

 일행은 말을 타고 이동하지는 않았다. 말을 타고 이동할 수 있을 정도로 도로 사정이 좋지 않은 탓도 있었지만, 무거운 갑옷을 입은 사람이 계속 말을 타고 이동하는 것은 말에 커다란 부담을 주기 때문이다. 그들은 방패뿐만 아니라, 투구와 조끼처럼 생긴 외장 갑옷도 벗어서 말에 실었다. 그런 다음 말고삐를 잡고 걸었다.

 일행 중 리치몬드는 나이 차이도 많이 났지만, 뭔가 범접하기 힘든 위엄이 있어 말을 걸기가 어려웠다. 그리고 라이와 비슷한 또래로 보이는 '닉'이라는 소년이 있긴 했지만, 숫기가 없는지 라이와의 대화를 별로 달가워하는 기색이 아니었다. 그렇기에 라이는 젠슨 옆에 서서 걸어가며 그와 이런저런 대화를 나눴다.

 젠슨을 통해 이 파티의 구성에 대해 좀 더 자세히 알 수 있었다. 그의 예상과 달리 이 파티에 종자는 단 한 명도 없었다. 네 명으로 이뤄진 모험가 파티였다. 젠슨의 말에 의하면 모두들 쓸 만한 실력의 소유자들이라고 한다.

밀수꾼은 아닌 것 같고

32

불완전한 각성

라이가 모험가 일행과 만난 다음 날 오후쯤이었다. 드디어 멀리 작은 마을 하나가 시야에 들어왔다. 리치몬드는 멀리 보이는 마을을 손가락으로 가리키며 라이에게 말했다.

"저 마을이 틴스부르라네. 이 근방에서는 제일 큰 마을이지."

리치몬드의 말과 달리 그다지 큰 마을은 아니었지만, 몬스터에 대한 경계 태새는 완벽했다. 마을 전체를 높직한 울타리로 감싸 놓은 것만으로도 부족해, 울타리 밖에 해자(垓字)까지 파 났다. 거리가 멀어 해자의 깊이가 얼마나 되는지는 알 수가 없었지만, 저 정도만 해도 마을 단위의 방어선이라고 하기에는 좀 과한 면이 있었다. 아마 어지간한 몬스터는 쳐들어올 엄두조차 내지 못하리라.

마을이 점점 가까워지자 해자를 가로지르는 다리 위에 서 있는 경비병들이 보였다. 사냥꾼이라고 착각할 만큼 투박한 가죽 갑옷, 창처럼 굵고 커다란 화살들, 그리고 손에 들고 있는 커다란 활. 그것도 모자라 경비병들의 허리춤에는 도끼가 매여 있었다.

"헉!"

경비병들을 아무 생각 없이 바라보며 걷던 라이는 갑자기 숨을 삼키지 않을 수 없었다. 저들은 도렌 영지의 병사들임에 틀림없었다. 얼마 전까지 적으로서 전투를 벌였던…….

라이가 깜짝 놀라는 표정을 짓자, 리치몬드는 다른 의미로 받아들인 모양이다.

"혹시 산적들에게 신분증까지 털린 건가?"

그제서야 신분증에 생각이 미친 라이는 눈앞이 캄캄해졌다. 이 상태로는 마을 안으로 들어갈 수도 없다는 것을 깨달았기 때문이다.

"예, 빌어먹을 산적 놈들에게 먼지 한 톨 남김없이 탈탈 털렸기에……."

"흐음, 이거 아주 곤란하게 됐군. 요즘 도렌은 메르헨과 영지전 중이기 때문에 신분증 검사를 철저하게 할 텐데……."

이때, 옆에 있던 젠슨이 끼어들었다.

"리치몬드 씨. 경비병에게 사정을 말해 봐야 씨알도 안 먹힐 거 같으니, 차라리 올리버의 신분증을 라이에게 빌려 주면 어떨까요?"

"아, 그렇지. 그거 좋은 생각이군."

리치몬드는 고개를 끄덕이더니 고개를 돌려 뒤쪽에 서 있던 닉을 바라봤다.

"닉, 올리버의 신분증 네가 가지고 있지?"

"그, 그건 왜……?"

"그걸 이 친구에게 건네줘. 내키지 않을지도 모르겠지만, 당

분간만 빌려 주는 거니까 네가 이해하도록 해."

닉은 알겠다는 듯 곧바로 품속을 뒤져 신분증 하나를 꺼내 라이에게 건네줬다.

"여기 있어."

라이가 신분증을 받아 들자, 젠슨이 혀를 차며 입을 열었다.

"쯧, 그 신분증은 얼마 전에 죽은 우리 동료의 유품이지. 닉의 불알친구이기도 하고. 꽤나 붙임성이 좋은 녀석이었는데, 재수가 없었어. 어쨌든 새 신분증을 만들 때까지는 자네가 그걸 쓰도록 하게."

"하지만 이게 통하겠어요? 올리버라는 동료 분과 제가 닮은 것도 아닐 텐데……."

신분증에는 그 대상의 신체적 특징이 비교적 소상하게 기록되어 있기 때문이다. 하지만 젠슨은 걱정 말라는 듯 호탕하게 웃으며 말했다.

"핫핫, 너무 걱정하지 마. 운 좋게도 올리버와 자네는 생긴 게 비슷하니까 말이야. 머리카락과 눈동자 색, 그리고 나이. 이 세 가지만 대충 비슷하면 나머지는 얼렁뚱땅 넘어갈 수 있거든. 그렇게 자세히 보지도 않겠지만, 봐 봐야 저들이 뭘 알겠어? 뭐, 여행 도중에 병에 걸렸다거나, 아니면 몬스터와 싸우다 부상을 당해 몸이 많이 축났다고 둘러대면 통과시켜 줄 거야."

"아…, 그건 그러네요."

라이는 내심 안도의 한숨을 내쉬며 떨리는 손으로 신분증을 두 손으로 꼬옥 움켜쥐었다.

꼬일 대로 꼬인 인생이라 생각했었다. 그런데 며칠 동안 산속에서 개고생을 하며 헤매고 난 뒤, 꼬인 실타래가 서서히 제자리로 돌아오고 있는 모양이다. 그렇지 않다면 이런 인심 좋은 사람들을 어떻게 만날 수 있었겠는가.

"여러모로 신경을 써 주셔서 정말 감사합니다. 이 은혜를 어떻게 갚아야 할지……."

"핫핫, 뭘 이런 걸 가지고. 그렇게 고맙다면 나중에 혹시 다시 만나게 됐을 때 자네가 거하게 한잔 사. 그럼 되지 않겠어?"

리치몬드는 젠슨의 너스레에 피식 웃으며 일행을 재촉했다.

"자, 여기서 이러고 있을 게 아니라 일단 마을로 들어가세. 시원한 맥주부터 한잔하고 싶으니 말이야."

마을 정문을 무사히 통과해 안으로 들어가자마자, 모험가 일행은 식당부터 찾았다.

"이 마을에서 가장 큰 식당으로 가려면, 어느 쪽으로 가야 합니까?"

이런 산골 오지 마을에 있는 식당들은 거의 대부분 숙박업을 함께 한다. 마을 주민들이 매 끼니를 식당에 와서 해결할 리는 없고, 결국 뜨내기 여행객들을 대상으로 장사를 하다 보니 그런 것이다.

가장 큰 식당이라고 알려 준 곳을 찾아갔음에도, 식당의 규모는 작고 허름하기 짝이 없었다. 하지만 달리 선택의 여지가 없었다. 마을에 식당이라고는 이거 하나뿐이었으니까.

"신선한 고기 있습니까?"

"신선한 거라곤 닭밖에 없수다."

마치 먹기 싫으면 나가라는 듯 퉁명스런 어투의 주인장이었다. 이곳을 나가 봐야 달리 식사를 할 수 있는 곳이 없으니 배짱 장사를 할 수밖에.

"그럼 구운 닭 5마리에……."

"쩝, 지금 닭이 3마리밖에 없는데……."

"그럼 3마리 전부 구워 주시고, 나머지는……."

잠시 메뉴를 고민하던 리치몬드는 곧 귀찮다는 듯 대충 주문했다.

"나머지는 주인장이 알아서 가져다 주시죠. 맛있는 걸로 말입니다."

"그럽시다. 잠시만 기다리슈."

얼마 지나지 않아 주인은 스튜 한 사발과 빵을 양손 가득 들고 왔다.

"우선은 이걸로 허기를 채우슈. 나머지는 준비되는 대로 가져다 드릴 테니까."

리치몬드는 사발에서 스튜를 가득 떠 그릇에 담은 뒤 라이에게 건네줬다.

"배가 많이 고프겠지만, 우선 이거라도 먼저 먹게."

라이는 군침을 꼴깍 삼키며 그릇을 받아 들었다. 따뜻한 스튜의 향기에 배가 뒤집어지는 것만 같았다. 라이는 감사하다는 말을 함과 동시에 그릇에 얼굴을 처박았다.

쩝쩝, 후르륵.

뭘 넣고 끓였는지조차 알기 힘들 정도로 건더기가 뭉개져 버린 스튜였지만 오랜만에 먹는 제대로 된 음식이라 그런지 너무나도 맛이 있었다. 게다가 만든 지 며칠은 족히 지나 보이는 딱딱한 빵조차도 입 안에 넣자마자 사르르 녹아 버리는 것만 같았다.

탁자 위에 놓인 음식이 몽땅 다 사라지고 나서야 라이는 시선을 다른 데로 돌릴 여유를 찾을 수 있었다. 그의 눈길이 가장 먼저 훑은 것은 소피아 수녀였다. 식탁에 앉으면서 언제나 머리 깊숙이 눌러쓰고 있던 후드를 벗어 버렸기 때문이다.

하지만 그의 눈길이 소피아 수녀에게 머문 것은 거의 순간이나 다름없는 짧은 시간이었다. 행여 소피아 수녀가 자신의 눈길을 눈치챌까 재빨리 다른 곳으로 시선을 돌렸기 때문이다.

라이가 두 번째로 바라본 대상은 닉이라는 소년이었다. 평소 닉은 소피아 수녀처럼 후드를 깊숙이 눌러쓰고 있었기에 얼굴을 보기가 힘들었다. 닉이 후드를 벗고 있는 모습은 처음이었다. 그리고 보니 닉의 머리카락 색깔이 자신과 비슷하다는 생각이 문득 들었다. 물론 닉의 머리 색깔이 자신보다 약간 옅었지만, 얼핏 보면 분간하기 힘들 정도로 비슷했다.

'그리고 보니 눈동자 색깔도 비슷하네……'

하지만 머리카락 색깔이나 눈동자 색깔이 비슷한 사람이 어디 한둘이겠는가. 현재 자신이 가지고 있는 신분증의 원주인인 올리버라는 소년의 인상착의도 그와 비슷하다는데 말이다.

별로 친하게 지내지도 않는 닉에 대한 관찰은 그쯤에서 끝내고, 라이의 눈길은 다시 한 번 소피아 수녀를 훔쳐본 후 재빨리 젠슨에게로 이동했다.

"빵하고 스튜일 뿐인데 정말 맛있네요. 주인장 솜씨가 보통이 아닌가 봐요."

라이의 말에 젠슨은 쓴웃음을 지으며 대꾸했다.

"그게 아니라, 네 배가 그만큼 고팠던 거겠지."

스튜와 빵을 시작으로 음식들이 계속 나오기 시작했다. 하지만 그들이 정체를 알아볼 수 있었던 것은 닭구이뿐이었다. 나머지는 뭘 넣고 만들었는지 짐작조차 되지 않는 허접스런 음식들뿐이었다.

하기야 그럴 수밖에 없으리라. 이곳은 오지에 위치한 산골 마을이었으니까. 그나마 소금에 절인 두툼한 돼지고기 조각이 군데군데 보이는 걸 보면, 주인장이 나름 신경을 써서 만들었다는 것을 짐작할 수 있었다.

음식의 이름이 뭐가 되었건, 그들은 나오는 족족 뱃속에 밀어 넣었다. 시원한 맥주와 함께……. 여기까지 오면서 씹어 먹고 있던 건조 식량에 비한다면 이건 진수성찬이나 다름없었던 것이다.

배가 불러오자 그제서야 앞으로 어떻게 해야 할지에 생각이 미친 라이는 리더인 리치몬드에게 넌지시 물어봤다. 자신을 동료로 받아 줄 수 없겠느냐고. 하지만 리치몬드는 생각해 보지도 않고 곧바로 거절했다.

"미안하네만, 자네가 우리 파티와 함께하기는 힘들 것 같네."

그러자 옆에 앉아 있던 젠슨도 리치몬드의 의견을 거들었다.

"너무 섭섭하게 생각하지는 마. 우리처럼 적은 인원으로 구성된 파티는 한 사람이라도 제구실을 못하면 순식간에 전멸당할수도 있기에 하는 말이니까. 말이 좋아 모험이지, 정말 위험한일이야. 어떨 때는 고생은 고생대로 하고, 땡전 한 푼 못 건지기도 하니까."

두 사람이 자신의 합류를 거부하자 라이는 몸이 달아올랐다. 현재 속옷만 한 벌 달랑 입고 있는 처지에, 이대로 이들과 헤어지게 되면 앞으로 뭘 어찌해야 한단 말인가. 게다가 언제 용병단에서 추적자가 들이닥칠지도 모르는 일이다.

그랬기에 라이로서는 최소한 위험지역을 벗어날 때까지만이라도 이들 곁에 붙어 있고 싶었다. 라이는 짐짓 볼멘 목소리로항변했다.

"제가 상인이긴 하지만 검이라면 제법 쓸 줄 압니다. 몬스터몇 마리쯤 해치울 실력도 없다면, 어떻게 이런 산골짜기까지 물건을 지고 올 생각을 할 수 있었겠습니까. 물론 산적들한테 기습을 당한 탓에 지금 이런 몰골이긴 합니다만, 저 그렇게 동료의 발목을 잡을 만큼 물러 터진 놈은 아닙니다."

라이의 말에 리치몬드는 잠시 고민하는 듯하더니, 옆에 앉아있는 젠슨과 귓속말로 뭔가 대화를 나눴다. 이윽고 결정을 내렸는지 리치몬드는 라이를 향해 침중한 어조로 말했다.

"지금 우리가 가고자 하는 길은 아주 험난하다네. 자칫 잘못하면 목숨을 잃을 수도 있지. 그래도 우리와 함께 가고 싶은가?"

"도대체 어디로 가시는데 그러십니까?"

리치몬드는 주위를 슬쩍 둘러본 후, 나지막한 목소리로 속삭였다.

"산맥을 관통하여 국경을 넘을 걸세."

그 말에 라이는 고개를 갸웃하지 않을 수가 없었다.

국경을 넘는 방법이야 수도 없이 많다. 하지만 굳이 이 오지 중의 오지인 도렌 영지까지 와서 사람들이 다니지도 않는 길로 산맥을 넘을 이유가 없지 않은가.

견문이 짧은 라이가 도렌에 대해 잘 아는 것은 아니다. 하지만 한 가지는 분명히 알고 있었다. 도렌 영지 쪽에서는 산맥을 넘어가는 통로가 없다는 것을. 만약 있었다면 도렌 영지가 이토록 궁핍한 생활을 하고 있을 리가 없다. 산맥을 넘어 오고 가는 물자들에 대해 약간의 통과세… 아니, 세금 따위를 붙일 필요조차 없다. 교역을 하기 위해 영지를 통과하는 상인들이 뿌리는 돈만으로도 영지 전체가 흥청거릴 테니까.

'흠, 평범한 모험자 파티가 아닌가 보네. 그럼 이들의 정체가 뭘까? 짐이 거의 없는 걸로 보아, 밀수꾼들은 아닌 것 같고……'

라이가 곧바로 대답을 하지 못하고 고민을 하는 듯하자, 리치몬드는 피식 웃으며 말했다.

"우리가 왜 쉬운 길을 놔두고, 굳이 험한 산맥을 넘어 국경을 통과하려는지 이해를 못하겠지?"

"예."

"하지만 우리와 아무런 연관도 없는 자네에게 그런 속사정까지 얘기해 줄 수는 없는 노릇이라네. 자네는 그저 우리와 함께 갈 것인지, 아니면 자네 살길을 찾아 떠날 것인지만 결정하게."

약간 찜찜한 마음이 들긴 했지만, 국경을 넘는다는 말은 라이에게 거부하기 힘든 유혹이었다. 현재 자신의 발목을 잡고 있는 노예의 굴레를 벗어던질 수가 있다는 뜻이었으니까.

"받아만 주신다면 최선을 다하겠습니다."

라이의 대답에 리치몬드의 눈빛이 순간 음침하게 변했다. 이렇게까지 말했는데도 불구하고, 굳이 따라나서겠다는 라이가 오히려 의심스러웠던 것이다. 하지만 리치몬드는 그런 내색은 전혀 하지 않았다.

"함께하겠다니 동료로서 우리가 하고자 하는 일을 알려 줌세."

리치몬드는 다시 한 번 조심스럽게 주위를 더 훑어봤다. 그래 봐야 식당 안에 손님이라고는 그들 일행밖에 없었지만.

"이름을 듣기만 해도 알 만한 그런 대마법사의 던전이, 저 산맥 어딘가에 위치해 있다네. 우리는 그 지도를 입수했지."

그 말만으로도 라이의 의심은 씻은 듯 사라져 버렸다. 운이 좋으면 돈벼락을 맞을 수도 있는 것이 바로 던전 발굴이었다. 그렇다면 이들이 굳이 험난한 산맥을 넘으려 하는 것에 대한 이유가 되고도 남았다. 이들은 정말 모험가 파티였던 것이다. 게

다가 이렇게 소수로 움직이는 걸 보면 꽤나 능력이 있는 파티일
지도 모른다.

라이의 눈에 어린 의혹의 빛이 사라자자 리치몬드는 씨익 미
소 지었다.

"어쨌거나 동료가 되었으니, 앞으로 발굴하게 될 보물의 지분
(持分)에 대해서 미리 얘기를 하지 않을 수 없겠군."

지분을 나눠 준다는 말에 라이의 이성이 더욱 뒤흔들렸다.

"무, 물론이죠."

"지금껏 숱한 난관을 뚫으며 여기까지 온 우리들과 자네의 지
분이 같을 수는 없는 노릇이 아니겠나?"

그건 맞는 말이었다. 그랬기에 라이는 말없이 고개를 끄덕여
수긍했다.

"던전의 보물을 발굴하게 되면, 자네에게 그중 3%를 주겠네.
그 정도면 충분하리라 생각하는데, 내 제안을 받아들이겠나?"

라이는 마치 꿈을 꾸는 것만 같았다.

모험가! 이 얼마나 가슴이 설레는 단어인가. 어디에 얽매이는
곳 없이 자유롭게 세상을 떠돌며 모험을 즐긴다. 라이가 어렸을
적부터 수도 없이 상상의 나래를 펴며 동경해 왔던 직업이었다.
라이는 생각할 것도 없이 고개를 끄덕여 승낙했다.

"자네의 지금 결정을 후회하지 않을 걸세."

식사를 끝낸 후, 리치몬드는 은화 몇 닢을 라이에게 건네주며
말했다.

"우리는 여기서 쉬고 있을 테니, 자네는 잡화점에 가서 필요한 물건들을 사도록 하게."

"이렇게까지 신경을 써 주셔서 정말 감사합니다."

"너무 고마워할 필요는 없다네. 아무 장비도 갖추지 못한 현재로서는, 자네가 도움이 전혀 되지 않으니 말이야. 대신 어설프게 행동해서 우리의 발목을 잡거나 하면 절대 용서하지 않을 걸세. 알겠나?"

"예, 알겠습니다."

리치몬드는 소피아 수녀에게 시선을 돌리며 말했다.

"혹시 필요하신 물품이 있으시다면 지금 구입하십시오. 산맥 안으로 들어가게 되면 마을이 더 이상 없으니까요. 라이에게 부탁하시든지, 아니면 함께 다녀오셔도 됩니다."

"아뇨, 필요한 건 아무것도 없습니다."

"그럼 방으로 올라가서 편히 쉬십시오. 저희들은 한잔 더 한 다음에 올라가겠습니다. 이곳에 방이 3개 있다고 하더군요. 2층 가장 오른쪽에 있는 방이 제일 작다고 하니, 그곳을 소피아 수녀님께서 혼자 쓰시는 게 좋을 것 같습니다."

"알겠어요. 그럼 저 먼저 올라가 쉬도록 하죠."

소피아 수녀가 자리에서 일어나 2층 계단 쪽으로 향할 때였다. 잊고 있던 것이 생각난 듯 리치몬드가 소피아 수녀를 향해 급히 말을 건넸다.

"아 참, 이곳에서 말을 모두 처분할 겁니다. 말을 끌고 산맥을 넘는다는 건 불가능한 일이니까요. 혹시 안장에 놔둔 물품이 있다면 미리 챙겨 두십시오."

리치몬드의 말에 소피아 수녀는 알겠다는 듯 고개를 살짝 숙인 뒤, 2층으로 올라가는 대신 밖으로 통하는 문을 열고 나갔다. 아마도 마구간 쪽으로 가는 것이리라.

"그럼 저는 잡화점에 다녀오겠습니다."

"외딴 마을이라 쓸 만한 게 별로 없겠지만 잘 찾아보게. 의외로 괜찮은 게 있을 수도 있으니까."

"예."

라이가 밖으로 나왔을 때, 수녀의 모습은 보이지 않았다. 대신 여관 주인의 모습이 눈에 띄었다. 여관 주인은 신이 나 있었다. 오랜만에 손님이 들어온 데다, 저렇게 엄청나게 먹어 대고 있으니······. 그는 살아 있는 닭 여섯 마리가 들어 있는 상자를 옮기고 있는 중이었다. 아마 내일 아침 식사용으로 쓰려고 구해 온 것인 모양이다.

라이는 여관 주인을 향해 물었다.

"죄송합니다만, 혹시 잡화점이 어디에 있는지 좀 가르쳐 주시겠습니까?"

작은 동네라 잡화점도 하나뿐이었다. 주인에게 설명을 듣고 돌아섰을 때, 그곳에 소피아 수녀가 서 있는 게 보였다. 커다란 눈망울에 눈물이 그렁그렁 맺혀 있었다. 그 모습을 보고 라이는 그녀가 마굿간에 간 게 미처 챙기지 못한 짐 때문이 아니었다는 것을 눈치챌 수 있었다. 아마도 말과 작별 인사를 나눴던 것이리라.

라이는 못 본 척 그냥 가려고 했다. 그런데 뜻밖에도 그녀 쪽에서 먼저 말을 걸어왔다.

"잡화점에 갈 거지?"

"예, 수녀님."

"나도 같이 가. 살 것도 있고 하니…….."

아마도 기분 전환 겸 자신을 따라나서려는 것이라고 라이는 생각했다.

"예. 마침 위치를 알아 뒀으니 함께 가시죠. 저쪽입니다."

소피아 수녀와 단둘이서만 있는 것은 이번이 처음이었다. 게다가 둘이서 오붓하게 걷는다는 그 사실 하나만으로도 라이의 가슴은 두근거리고 있었다. 아무런 말도 하지 않고 걷고 있는 게 조금 어색했던 것일까. 수녀 쪽에서 먼저 입을 열었다.

"워낙 작은 마을이라 쓸 만한 물건이 없을지도 몰라. 다리를 건너오면서 경비병들이 입고 있는 갑옷 봤지?"

"예."

"잡화점에서 판매하는 갑옷도 그 정도 수준 정도밖에 없을 거야. 그래도 괜찮겠어?"

용병단에 처음 들어가서 지급받았던 갑옷은 정말 형편없는 것들이었다. 겉모양은 용병단의 갑옷이 좀 더 나았을지 모르지만, 방어력은 오히려 이곳 경비병들이 입고 있는 게 훨씬 더 좋아 보였다. 게다가 라이는 보여지는 겉모습 따위는 신경쓰지 않는 실속파였다. 그렇기에 그는 태연하게 대꾸했다.

"그것밖에 없다면 어쩔 수 없잖아요."

"무기는 어떤 걸 잘 다뤄? 검? 활?"

소피아 수녀는 이런저런 사소한 질문들을 계속 던졌다. 어쩌면 정말 궁금해서 묻는다기보다는, 둘이서 길을 가다 보니 대화가 끊기면 분위기가 어색해질까 두려워 그러는 것이리라.

"둘 다요."

"무술은 누구한테 배웠어?"

라이는 은퇴한 용병이었던 아버지에게 배웠다고 대충 둘러댔다. 라이는 감히 소피아 수녀의 얼굴은 쳐다보지도 못하고 대답을 했기에 그녀의 표정이 어떻게 변하고 있는지 전혀 눈치채지 못했다. 대화가 길어질수록 수녀의 표정이 점차 심각하게 바뀌고 있었던 것이다.

"상인이라면서 왜 굳이 모험가 파티에 참여하려는 거지?"

"모험을 해 보고 싶었거든요. 모험가가 되는 것은 제 오랜 꿈이었습니다, 수녀님."

라이의 대답에 소피아 수녀는 잠시 입을 다물고 망설였다.

'이런 말을 해 줘도 괜찮을까? 꽤나 순진해 보이는 소년인데, 혹시 상처를 받을지도 모르는데……'

지금껏 살아오며 다른 사람에게 모진 말을 단 한 번도 해 본 적이 없었던 그녀다. 하지만 이번에는 말을 안 해 주고 그냥 넘어갈 수는 없었다. 양심에 걸렸기 때문이다. 그렇기에 그녀는 애써 용기를 냈다.

"이런 말을 해도 괜찮을지 모르겠지만…, 오해하지 말고 들어. 그건 좋은 선택이 아닐지도 몰라."

"예? 대체 무슨 말씀이십니까?"

"지금 우리 파티가 수행하고 있는 모험의 난이도가 너무 높기 때문에 하는 말이야. 자칫 잘못하면 목숨을 잃을 위험이 너무 크거든."

그제야 소피아 수녀가 뭘 염려하고 있는지를 눈치챈 라이의 얼굴이 딱딱하게 굳어졌다.

"제가 모험을 해 본 적이 없긴 하지만, 다른 분들께 폐를 끼치는 일은 절대 없을 겁니다."

이렇게까지 자신 있게 말하자, 소피아 수녀는 더 이상 말을 꺼낼 수가 없었다.

잡화점에 도착할 때까지 두 사람 사이에는 더 이상 아무런 대화도 오고 가지 않았다.

"아, 저기인 거 같네요. 저 허름한 가게 말입니다."

오지의 가난한 마을이었기에 어느 정도 짐작은 하고 있었지만, 잡화점에서 팔고 있는 물품들은 라이의 예상보다 훨씬 더 초라하고 빈약하기만 했다.

몇 벌 있지도 않은 갑옷은 도렌 영지의 병사들이 착용하던 바로 그 투박하기 짝이 없는 가죽갑옷이었다. 그리고 장검은 아예 팔지도 않았고, 활과 화살은 몬스터 사냥용의 초대형뿐이었다.

라이는 한숨을 푹 내쉬면서도 심란한 눈빛으로 가게 안을 열심히 이리저리 둘러보았다. 모험을 하다 죽기 싫으면 어떻게든 장비를 맞춰야 했으니까.

다음 날 새벽, 아직 해가 뜨지도 않아 사위가 어둠에 잠겨 있을 때 그들은 일어나 출발 준비를 서둘렀다. 미리 여관 주인에게 말을 해 뒀었기에 그들이 일어나는 시간에 맞춰 따끈한 식사가 차려져 있었고, 갓 구운 빵이 가득 들어 있는 자루도 준비되어 있었다. 저 정도면 며칠 정도는 배불리 먹기에 충분하리라.

험난한 산맥을 이동해야 하는 만큼, 일행의 말들은 모두 팔아 버리고 당나귀 네 마리를 사서 짐을 나누어 실었다. 어쨌거나 이런 산골 마을에서 말들을 다 팔아 치워 버린 것만 봐도 리치몬드가 얼마나 수완이 좋은 리더인지 라이는 충분히 짐작할 수 있었다.

'이런 산간벽지에서 그런 훌륭한 준마를 제값 받고 팔기는 힘들었을 텐데…….'

라이는 그런 생각을 하면서도 입 밖으로 꺼내지는 않았다. 모두의 속이 쓰릴 것을 뻔히 알면서 그들의 상처를 헤집고 싶지는 않았던 것이다. 하지만 그들로서도 어쩔 수 없었으리라. 험한 산길을 뚫고 이동하는 데 있어서 덩치 큰 말은 전혀 도움이 되지 않을 게 뻔했으니까.

산맥을 향해 출발한 지 4일째 되는 날 오후, 라이는 어렴풋이 풍겨 오는 오크의 냄새를 맡았다. 보통사람이라면 숲에서 풍겨 나오는 여러 가지 냄새들 탓에 알아채지 못하고 넘어갔겠지만, 오크 굴에서 신물 나게 살아 봤던 라이의 코가 그걸 놓칠 리가 없었다. 예전에 용병단에 있었을 때와는 달리, 지금은 자신의 능력을 보여 줘야 할 때였다.

"리치몬드 씨, 주변에 오크가 있는 거 같은데요."

하지만 리치몬드는 라이의 말을 귓등으로 들으며 태연하게 대꾸했다.

"여관 주인의 말 때문에 그러나? 이 주변에 오크들이 서식하는 건 사실이겠지만, 자네 걱정이 좀 지나친 것 같구면. 걱정하지 말게. 우리는 아직 오크들의 영역에 들어서지도 않았으니 말일세."

"너무 자신하시는 거 아닙니까? 오크들이 여기서부터 우리들의 영토라고 말뚝을 박아 놓은 것도 아니고 말이죠. 일단 대비는 좀 해 두시는 게 좋을 거 같은데요."

방어 장비의 무게가 워낙에 무겁다 보니 위험이 닥친 경우가 아니라면 외장 갑옷과 투구, 방패 따위는 나귀에 실어 놓는다. 방어 장비를 몽땅 다 걸치고 산길을 이동했다가는 얼마 가지도 못하고 쭉 뻗어 버릴 게 뻔했으니까.

오크의 존재 유무도 알 수 없는 상황에서 중무장할 것을 권하는 라이. 리치몬드는 그런 라이를 향해 의심스런 눈길을 보내지 않을 수 없었다.

"젠슨처럼 주변의 흔적을 주의 깊게 살펴본 것도 아니면서, 어떻게 그렇게 자신만만하게 말할 수가 있나? 저기를 보게."

일행들보다 10여 미터쯤 앞서 가고 있던 젠슨은 간혹 허리를 굽혀 수풀이나 낙엽 더미를 뒤적이며 뭔가 흔적이 없나 살피고 있었다.

"저렇게 꼼꼼히 살펴보고 있는데도 젠슨은 오크에 대해서 지금까지 단 한 마디도 말을 꺼내지 않았네. 그런데도 자네는 뜬금없이 오크가 주위에 있다고 말하니, 내가 그걸 어떻게 받아들여야 하나?"

라이는 어깨를 으쓱하며 대꾸했다.

"저는 제 감각을 믿을 뿐입니다. 특히 후각을요."

라이는 자신의 말이 농담이 아니라는 것을 증명이라도 하듯 당나귀 등에 걸어 놨던 투구를 들어 머리에 썼다. 묵직하긴 했지만, 나름대로 안도감을 느낄 수가 있었다. 투구를 쓰지 않은 채 오크가 휘두르는 몽둥이에 머리를 직격당했다가는 머리통이 수박처럼 박살난다는 것을 잘 알기에. 그리고 등에 메고 있던 활도 손에 들었다. 언제든지 발사할 수 있도록.

그런 라이의 모습을 보며 리치몬드는 콧방귀를 뀌었다. 자신의 말이 받아들여지지 않으니 괜스레 시위하고 있는 거라고 생각했던 것이다.

'흥, 후각이라고? 자기 코가 개코라도 된다는 말인가? 말도 안 되는 변명을 늘어놓고 있어. 뭐, 까불어 봤자 얼마 견디지 못하고 투구를 벗겠지.'

생각은 그랬지만, 혹시나 하는 마음에 선두에 가고 있는 젠슨을 향해 소리쳤다.

"젠슨! 혹시 이상한 흔적을 발견한 거라도 있나?"

"별로 없습니다. 오히려 흔적이 너무 없어서 문제죠. 이 정도까지 깊게 들어왔으면, 야생동물의 발자국들이 여기저기에서 보여야 정상인데…….”

“마을에서 벗어난 지 며칠 되지도 않았잖은가. 차차 나오겠지.”

리치몬드는 수풀에 가린 하늘과 주위를 둘러봤다. 망토는 물론이고 외갑(外鉀)과 투구까지 벗었는데도 불구하고 그의 등은 땀으로 흥건하게 젖어 있었다. 사슬갑옷처럼 벗지 못하고 그냥 입고 있는 장갑(裝甲)의 무게만 해도 엄청난 탓이었다.

리치몬드는 이마의 땀을 닦으며 내심 투덜거렸다.

‘그나저나 덥긴 덥군. 몬스터도 없는데, 이런 산길을 완전무장을 한 채 걸어가자고? 그렇게 되면 체력적으로 가장 큰 피해를 입게 되는 게 나와 젠슨인데……. 우리 둘을 지치게 만들어서 뭘 하겠다는 것이지? 생각할수록 놈의 저의가 의심스럽군.’

리치몬드나 젠슨은 눈치조차 채지 못하고 있었지만, 그들은 이미 세 시간 전부터 케른척이 거느린 오크 부대의 추적을 받고 있는 중이었다. 이곳 오크들은 잘 훈련된 도렌 영주의 병사들과 숱한 충돌을 겪으며 살아왔다.

호비트들이 연약한 생김새와는 달리 결코 만만한 적수가 아니라는 것을 그들은 경험으로 이미 체득하고 있었다. 하지만 그럼에도 불구하고 당나귀 네 마리는 도저히 참을 수 없는 유혹이었다.

“족장한테 전령 보내자.”

“췩췩, 안 보내도 된다. 우리 많다!”

지금 케른칙이 거느리고 있는 부하는 무려 28마리. 호비트 다섯 마리쯤 상대하는 데는 넘칠 정도의 숫자였다.

　더군다나 저놈들 중에서 힘 좀 쓸 것처럼 생긴 놈은 겨우 두 마리뿐이었다. 번쩍이는 쇠장식을 몸에 주렁주렁 두르고 있는 게 조금 거슬리긴 했지만, 둘이서 발악을 해 봐야 얼마나 하겠는가 하는 게 케른칙의 생각이었다. 나머지 3마리는 덩치도 그리 크지 않은 것이 한주먹거리도 되어 보이지 않았고⋯⋯.

　호비트들이 꽤 만만하게 보인 것도 사실이었지만, 마을에 전령을 보내 지원을 요청하자는 부하의 의견을 케른칙이 묵살한 이유는 다른 데 있었다. 자기보다 상급자가 지원군을 몰고 온다면 이번 사냥의 공로를 놈이 가져가게 되기 때문이다.

　주변의 모든 사냥감들을 싹쓸이해 버린 탓에 먹을 걸 구하기가 점점 더 어려워지고 있었다. 이럴 때 저만한 사냥감을 잡아가면 부족 내에서 그의 위치는 더욱 확고해지리라. 당나귀 네 마리에 호비트 다섯 마리. 케른칙은 입맛을 다시며 부하들에게 명령했다.

　"칙칙, 모두 준비해라. 쉬면 공격한다!"

　"칙! 알았다."

라이 코는 개코?

32

불완전한 각성

'이상하네? 분명히 오크 냄새가 난 것 같았는데……'

　바람 방향이 갑자기 바뀌었을 때 얼핏 풍겨 온 것을 제외하면 더 이상 오크 냄새는 나지 않았다. 그 때문에 라이도 혹시 자신이 착각한 게 아닐까 하는 생각마저 들기 시작하고 있었다.

　"여기서 쉬었다가 가자."

　리치몬드의 말에 모두들 편한 장소를 골라 자리를 잡고 앉았다. 더위 탓에 겉에 걸치고 있던 망토나 로브는 벗어 버린 지 오래. 그 덕분에 라이는 소피아 수녀의 아름다운 얼굴을 몰래 감상할 수 있었다.

　'쯧, 혼자 멍청한 짓 하지 말고 나도 투구를 벗자. 괜히 이러다가 리치몬드에게 미운털이라도 박히는 날에는 앞날이 고달파지게 돼.'

　라이는 투구를 쓰고 있는 탓에 이마 위로 줄줄 흘러내리는 땀도 닦지 못하고 있었다. 그런데 그가 막 투구 끈을 풀려고 할 때였다. 갑자기 오크 냄새가 풍겨 왔다. 이번에는 아주 짙었다. 지금까지는 놈들이 바람의 방향을 헤아리며 조심스럽게 따라오고 있었기에 냄새를 맡을 수가 없었던 것이었지만, 최후의 순간이 되어 포위망을 갖추자 냄새가 바람을 타고 흘러온 것이다.

라이는 급히 일어나 화살을 장전하며 외쳤다.

"오큽니다! 모두들 주의하세요."

라이의 경고에 모두들 경악해서 황급히 주위를 살펴봤다. 하지만 리치몬드는 다른 동료들과 달리 라이를 향해 짜증 어린 질책부터 날렸다. 안 그래도 덥고 피곤한데, 새파란 신참이 자신의 충고에도 아랑곳 않고 깝죽대고 있으니 짜증이 울컥 치솟았던 것이다.

"또 그 소리로군. 내가 분명히 말했었지 않은가. 여기에는 오크가 없다고 말일세."

리치몬드의 말에 모두들 안도의 한숨을 내쉬며 자리에 털썩 주저앉았다. '그러면 그렇지' 하면서 말이다. 긴장을 푼 그들은 저마다 배낭에서 먹을 것부터 꺼냈다. 강행군을 하느라 지치기도 했지만, 무엇보다 배가 고팠던 것이다.

"이보게, 라이. 제대로 알지도 못하면서 그런……."

새파란 신참 주제에 주제 파악도 못하고 나대고 있는 라이에게 경고를 할 작정이었다. 또다시 이런 식으로 동료들의 휴식을 방해하면 가만히 안 놔두겠다고 말이다. 하지만 그때, 리치몬드는 볼 수 있었다. 라이가 일어서 있는 저 뒤쪽의 수풀이 묘하게 들썩이고 있는 것을.

리치몬드는 황급히 고개를 돌려 주위를 둘러봤다. 수풀이 들썩이고 있는 곳이 한두 군데가 아니었다. 라이의 말대로 오크인지는 알 수 없지만, 뭔가가 자신들을 포위한 채 육박해 들어오고 있는 것만은 확실했다.

리치몬드는 경악해서 외쳤다.

"전원 전투 준비!"

그는 급히 나귀 등에 걸어 둔 방패부터 집어 들었다. 투구를 쓸 시간적 여유조차 없었다. 턱 끈을 묶지 않으면, 거칠게 움직일 때 투구가 이리저리 움직일 것은 뻔한 이치. 결정적인 순간에 시야를 가리게 되면 오히려 쓰지 않은 것만 못한 사태가 벌어지게 된다. 그것을 잘 알기에 그는 처음부터 투구를 집어 들 생각조차 하지 않은 것이다.

검을 뽑아 들었을 무렵, 미지의 적은 리치몬드의 코앞에까지 육박해 들어와 있었다. 수풀을 헤치며 튀어나온 적은 라이의 말대로 오크였다. 그것도 한두 마리가 아니었다. 자신에게 휘둘러 오는 오크의 몽둥이를 방패로 막아 내자마자 그는 거의 반사적으로 검을 휘둘렀다.

서걱.

붉은 피가 확 하고 뿜어져 나와 그의 갑옷은 물론이고 얼굴에까지 튀었다. 하지만 리치몬드는 그런 것에 신경을 쓸 겨를이 없었다. 또 다른 오크를 향해 칼을 휘둘러야 했기에. 주변이 온통 오크 천지였다. 한 놈이라도 빨리 해치우는 것만이 살 길이었다.

리치몬드나 젠슨은 그럭저럭 오크와의 접전을 시작하는 데 성공했지만 닉은 그렇지 못했다. 한창 먹는 데 열중하고 있었던 그는 미처 방어 자세를 취하지도 못했던 것이다.

몽둥이를 치켜든 채 순식간에 자신의 코앞까지 육박해 들어온 오크! 닉은 완전히 공황상태에 빠져 버렸다. 아무런 생각도 들지 않았다. 몽둥이가 자신의 머리통으로 떨어지는 것을 본 닉은 본능적으로 눈부터 질끈 감았다.

그 순간, 들려온 오크의 처절한 비명 소리!

"꾸웨우욱!!"

곧이어 자신의 발 앞에서 뭔가가 털썩 쓰러지는 육중한 소리가 들려왔다.

닉은 살짝 눈을 떠 봤다. 그는 볼 수 있었다. 방금 전에 자신을 향해 돌진해 오던 오크가 쓰러져 있는 것을. 그리고 오크의 등을 관통하고 삐죽이 솟아나와 있는 창을 볼 수 있었다. 아니, 창이라고 해도 믿을 정도로 굵고 긴 화살이었다.

급히 뒤를 돌아보니 얼마 전에 동료가 된 라이라는 녀석이 활을 쏘고 있는 게 보였다. 화살 한 발을 쏘고는, 또다시 화살을 활통에서 뽑으려고 할 때였다. 닉은 라이의 뒤통수를 향해 육박해 들어가고 있는 오크를 발견했다.

"라이! 뒤를 조심해!"

조심하라고 경고를 하긴 했지만, 그는 사실 라이가 이 위험한 상황을 벗어나기 힘들 거라 생각했다. 굵고 긴 화살은 연사에 부적합했다. 다음 화살을 장전하기에는 시간적 여유가 너무 부족했던 것이다.

하지만 라이는 죽지 않았다. 그는 화살을 활통에서 뽑는 대신, 허리에 차고 있던 도끼를 뽑아드는 것과 동시에 집어던졌던 것이다. 커다랗게 회전하며 날아간 그의 도끼는 놀랍게도 오크의 이마에 정확히 박혔다.

"꾸에에엑!"

정말이지 놀라운 실력!

라이는 닉을 향해 감사의 눈빛이라도 보내려고 그를 바라봤다. 그리고 볼 수 있었다. 닉을 향해 달려들고 있는 또 다른 오크를. 라이는 짜증이 벌컥 치솟았다.

'저 새끼는 싸우지도 않고, 지금 뭐 하고 있는 거야?'

어느샌가 화살을 뽑아 든 라이는 닉을 공격하려고 하는 오크를 향해 쐈다. 그런 다음 활을 집어던지고 방금 전에 자신의 도끼에 맞아죽은 오크에게로 달려가 놈의 이마에 박혀 있는 도끼를 뽑아 들었다.

"이 새끼들! 다 죽었어!"

라이가 활쏘기를 포기한 것은 화살의 크기가 너무 커 한 발 한 발 쏘는 데 들어가는 시간이 너무 많이 걸렸기 때문이다. 이렇게 적과 뒤엉켜 싸울 때는 오히려 칼이나 도끼 같은 단병기가 훨씬 더 효과적이다.

한 마리, 두 마리……. 놀라운 속도로 오크를 해치워 나가는 라이. 라이의 활약을 멍하니 바라보고 있던 닉에게 어느새 다가왔는지 젠슨이 옆에 와 있었다. 그의 장검은 물론이고, 방패까지 오크의 피로 붉게 얼룩져 있었다.

"이봐, 닉! 지금 뭐 하고 있는 거야. 정신 차려."

"아, 예."

닉은 얼굴을 붉혔다. 실전 경험이 전혀 없는 초보도 아니면서 정신을 놓고 있었다니, 창피하기 짝이 없었다. 그는 재빨리 어깨에 메고 있던 활을 끌러 들었다. 화살을 화살통에서 뽑아 든 그는 화살을 시위에 걸어 당기는 순간 조준까지 함께 완료했다. 최대치까지 시위를 당김과 동시에 놔 버린 그는 눈으로는 새로운 목표를 찾으며 화살을 화살통에서 뽑아 들었다. 그리고 또다시 발사하는 닉. 라이의 장대한 화살에 비한다면 파괴력은 약할지 몰라도, 연사속도에 있어서는 비교가 되지 않을 정도로 빨랐다.

격전은 시작만큼이나 갑작스럽게 끝이 났다. 미친 듯 공격하던 오크들이 어느 순간, 썰물 빠지듯 순식간에 사라져 버렸기 때문이다. 헐떡거리며 자리에 털썩 주저앉은 라이는 급히 투구부터 벗어던졌다. 그의 얼굴 전체는 땀으로 목욕을 한 듯 흥건했다. 땀을 훔칠 새도 없이 수통부터 꺼내 입에 무는 라이.

어느새 라이 옆으로 다가온 리치몬드가 말을 건넸다.

"다친 데는 없는가?"

라이는 물 마시기에 바빠 대답조차 하지 못했다. 대신 괜찮다는 듯 손바닥을 흔들어 대답을 대신했다. 그런 라이를 보며 리치몬드는 정중한 어투로 말했다.

"자네의 경고를 무시한 것, 정말 미안하네."

간신히 수통에서 입을 뗀 라이는 거친 숨소리를 뿜어내며 대답했다.

"아닙니다. 저도 오크가 있는지 정확히 확신하지는 못했었는데요, 뭘."

"그러고 보니 자네 실력이 아주 출중하더군."

이런 칭찬은 용병대 안에서는 들어 본 적이 없었기에 라이는 무척이나 쑥스러웠다. 그런 라이의 어깨를 토닥이며 리치몬드가 말했다.

"자네가 큰소리칠 만도 했어. 일전에 자네에게 3%의 배당을 주겠다고 했지만, 오늘 보니 내가 너무 적게 불렀더군. 자네 실력을 몰라봤기에 벌어진 착오였다네. 용서해 주게. 자네한테 10%를 주지. 그만한 실력이 되니까."

리치몬드가 자신의 실력을 인정해 줬을 뿐만 아니라, 배당까지 파격적으로 올려 준다고 하니 라이는 하늘이라도 날듯 기분이 좋았다.

"그렇게 말씀해 주시니, 정말 감사합니다."

리치몬드는 동료들을 둘러보며 큰 소리로 물었다.

"누구 다친 사람은 없나?"

파티원 한 명 한 명의 몸 상태를 훑어보며 확인한 후에야 리치몬드는 말을 이었다.

"오크 영역을 빠져나갈 때까지는 힘들더라도 완전무장한 상태로 움직이도록 하자. 자네들도 알다시피 이번에는 아주 운이 좋았어. 여기 이 친구가 경고를 해 준 것도 도움이 되었지만, 무엇보다도 오크 놈들이 우리들을 얕보고 얼마 안 되는 숫자로 덤빈 덕분이라고 봐야 하겠지. 만약 이번에 공격한 오크들의 숫자가 30마리 정도가 아닌, 100마리 이상이었다면 어떻게 되었을 것 같나?”

리치몬드의 지적은 모두의 가슴을 서늘하게 했다.

“이번 같은 행운이 또다시 반복될 거라고는 기대하지 말자. 아마 오크의 다음번 공격은 전력을 다한 것이 될 거야. 모두들 마음의 준비를 단단히 하도록.”

리치몬드의 지시가 떨어진 후, 모두들 당나귀 등에 올려 뒀던 여분의 무장을 착용하느라 분주히 움직였다. 하지만 닉은 무장을 갖추는 것도 잊은 채 질투 어린 시선으로 라이를 노려보고 있었다.

나이도 비슷한 것 같은데 어떻게 저렇게 놀라운 실력을 가질 수가 있을까? 어렸을 때부터 기사가 되는 수업을 받아 왔던 자신도 한순간 공포에 질렸었는데…….

‘별 볼일 없는 용병의 자식인 주제에…….’

방금 전에 보인 자신의 추태를 생각만 해도 얼굴이 화끈거렸다. 지금까지는 라이를 천한 상인 나부랭이라고 생각하며 은근히 무시해 왔었다. 그런 그에게 실력에서 밀린 것은 둘째 치고, 생각만 해도 얼굴이 화끈거릴 추태까지 보였으니……. 겉으로 말은 못했지만 속으로는 미칠 지경이었던 것이다.

젠슨은 완전무장을 갖춘 후 라이에게로 다가왔다. 라이의 투구가 눈구멍만 대충 뚫어 놓은 대량 생산형이라면, 젠슨이 사용하는 투구는 평상시에는 안면 부위의 방어판을 위쪽으로 들어

올려 보다 넓은 시야를 확보할 수 있게 만들어 놓은 고급품이었다. 그렇기에 투구를 쓰고 있음에도 불구하고, 라이는 그의 얼굴을 잘 볼 수 있었다.

젠슨은 든든한 우군이라도 만난 듯 씨익 미소 지으며 말했다.

"덕분에 오늘 살았다."

"뭘요. 운이 좋았던 것뿐입니다."

"내가 앞서 가면서 아무리 살펴봐도 오크의 흔적은 찾지 못했었는데, 너는 어떻게 찾아낸 거지?"

"후각이죠. 오크에게서는 독특한 냄새가 나거든요."

젠슨은 어이가 없는 모양이다.

"냄새라고?"

고개를 갸웃거리던 젠슨은 오크 사체로 다가가 코를 킁킁거렸다. 오크에게서 지독한 악취가 난다는 건 사실이었다. 하지만 어떻게 개가 아니고서야 여러 가지 냄새가 혼재되어 흐르는 숲 속에서, 오크의 냄새만을 꼭 집어 파악해 낼 수가 있는 것일까?

"제가 후각이 좀 예민한 편이거든요."

"호오, 그거 정말 굉장한 후각이군. 어쨌거나 오늘 네 덕을 톡톡히 봤어. 앞으로도 잘 부탁해."

"도움이 되었다니 다행이군요."

그날 하루는 모두들 긴장한 채 오크의 습격에 대비했다. 특히, 밤이 되었을 때는 주변에 대한 경계를 더욱 강화했다. 오크가 야습을 좋아한다는 것은 상식이었으니까.

습격에 대한 불안감에 모두들 잠도 제대로 자지 못했지만, 그 날 밤에는 아무런 일도 벌어지지 않았다. 밝아 오는 아침 해를 보며 젠슨은 안도의 한숨을 내쉬었다.

"포기한 게 아닐까요?"

젠슨의 물음에 리치몬드는 어깨를 으쓱하며 대답했다.

"나도 그런 게 아닐까 생각하고 있었다네. 만반의 준비를 갖추고 기습했는데도, 스물두 마리가 순식간에 죽어나갔으니 겁을 집어먹을 만도 하지."

하나의 오크 부족이 보유한 전사의 숫자는 통상 100~150마리 수준이다. 물론 그것보다 훨씬 더 많은 전사를 보유한 부족도 있긴 했지만, 그런 경우는 극히 드물었다. 그만한 숫자를 유지하려면 그만큼 더 많은 식량이 필요했기 때문이다.

"신참인 데다 나이도 어린 주제에, 제 의견을 말씀드리는 게 주제넘는다는 건 잘 압니다만……."

어렵게 말을 꺼내는 라이를 바라보며 리치몬드는 쓸쓸한 미소를 지었다. 제대로 알지도 못하면서 그런 말을 한다며 짜증을 냈던 사람이 다름 아닌 자신이었다는 것을 잘 기억하고 있었으니까.

"말해 보게. 오크의 습격을 경고했던 건 자네였지 않은가. 지금 자네의 말을 무시할 사람은 여기에 아무도 없다네."

"그놈들은 포기하지 않을 겁니다."

"그렇게 생각하는 이유라도 있나?"

"먹을 것에 대한 놈들의 집념이 얼마나 강한지 잘 알기 때문입니다. 우리들에게 당나귀 네 마리가 있는 한 그놈들은 절대로 포기하지 않을 겁니다."

리치몬드는 당나귀를 힐끗 바라봤다.

"당나귀라……."

당나귀들은 한가로운 표정으로 주위에 돋아 있는 풀을 뜯어 먹고 있는 중이었다.

"우리 쪽의 전력이 강하다는 것을 잘 알고 있으니 정면 대결은 삼가겠죠. 하지만 당나귀만 죽인다고 생각한다면 그 방법이야 여러 가지가 있을 수 있지 않겠습니까? 높은 곳에서 바위를 굴려도 되고……."

그제서야 리치몬드의 얼굴이 일그러졌다.

"그 말도 일리가 있군."

리치몬드는 젠슨을 향해 시선을 돌리며 물었다.

"자네 생각은 어떤가?"

"놈들의 목표가 당나귀라면, 그냥 던져 주는 게 좋지 않을까요?"

그러자 닉이 즉각 반대하며 나섰다.

"말도 안 됩니다. 그럼 저 많은 짐을 다 지고 가자고요?"

"하지만 오크들의 습격을 받을 위험까지 생각한다면 당나귀를 포기하는 게 맞다고 생각합니다. 놈들이 끝까지 따라다니며 해꼬지를 해 댄다면, 당나귀는 물론이고 필경 누군가 죽거나 다칠 수도 있는 일이니까요."

라이의 말에 젠슨은 고개까지 끄덕이며 동조했다.

"전 라이의 의견이 타당하다고 생각합니다. 아주 교활한 놈들인 만큼, 무슨 짓을 할지 알 수가 없죠. 더군다나 우리들은 기습 당하기 아주 좋은 곳만 골라서 걸어가야 하는 처지고요."

"흠, 자네까지 그렇게 생각한다면······."

이때, 닉이 리치몬드의 말을 끊었다. 그는 지금껏 조용히 앉아 다른 사람들의 의견을 경청하고 있던 소피아 수녀를 향해 고개를 돌려 질문을 던졌다.

"잠깐, 수녀님께서는 어떻게 생각하십니까?"

리치몬드도 소피아 수녀를 무시하기는 힘들었는지, 그녀가 의견을 개진할 때까지 결론을 내지 않고 조용히 기다렸다.

잠시 생각하던 수녀는 부드러운 어조로 말했다.

"라이의 의견도 맞긴 합니다만, 던전에서 찾은 보물을 운반할 방법에 대해서도 고민해 볼 필요가 있지 않을까요?"

짐을 실을 당나귀가 없다면 기껏 개고생을 하며 보물을 찾아냈다고 해도, 그것을 들고 산을 내려올 수가 없게 된다.

그러자 닉이 재빨리 그 의견에 동조했다. 당나귀를 없앴을 때 그 많은 짐들을 자신이 직접 지고 가야 하는 것도 마음에 들지 않았지만, 라이가 잘난 척하며 나서는 것도 기분이 나빴기에 이렇게 심통을 부리고 있는 것이다.

"수녀님의 말씀이 바로 제가 생각하고 있는 그대로라니까요."

"흠, 소피아 수녀님께서 그렇게 생각하신다면 당나귀를 데리고 가는 것으로 하지요."

순간 라이는 리치몬드의 리더로서의 자질을 의심하지 않을 수 없었다. 고작 당나귀 몇 마리 때문에 오크 부족과의 충돌을 감수하려 하다니. 그것도 절대적으로 오크에게 유리한 산악 지대를 통과하면서…….

어제 있었던 오크들의 기습은 이쪽에서 대처를 조금만 잘못했어도 몰살당했을 게 확실했을 정도였지 않던가. 30마리 내외의 오크들의 습격을 받았을 때도 이 정도였는데, 부족 전체가 덤비면 어떤 사태가 벌어지겠는가.

'젠장, 파티를 잘못 골랐어. 저렇게까지 머리가 안 돌아가는 사람이 리더라니. 몇 사람 죽어 나가야 정신을 차리려나? 우리 소대장이었다면 당나귀 따위는 부담 없이 버렸을 텐데……. 그리고 저 닉이라는 놈은 이번에 보니까 실력도 별 볼일 없던데, 왜 파티원으로 받아들인 거지?'

머릿속은 불만으로 가득했지만 라이는 입을 꾹 다물고 길을 갈 수밖에 없었다. 현재로서는 그것 외에 다른 방법이 없었기에.

'젠장, 용병단에 있을 때나 지금이나 어째 마음에 드는 게 하나도 없냐. 이럴 줄 알았으면 그냥 조신하게 붙어 있을 걸.'

라이 일행은 없는 길을 개척하며 이동하고 있는 게 아니라, 길을 따라서 가고 있는 중이었다. 그리고 앞으로도 길을 따라 전진할 것이다. 오크들도 그걸 잘 알고 있다는 게 문제였다. 놈들은 이 일대 지리를 자기 손바닥 들여다보듯 빤히 알고 있을 테니, 기습하기에 가장 좋은 곳에서 매복한 채 기다리고 있을 테니까.

오크가 어디에 숨어 있을지 알 수 없는 만큼, 모두들 주위를 두리번거리며 길을 걸었다. 물론 대부분은 건성건성 주위를 둘러보고 있었고, 제대로 주위를 살피고 있는 건 젠슨과 라이 단 둘 뿐이었다. 그 두 사람만이 오크를 찾아낼 능력을 지니고 있었으니까.

산길을 타고 가다 보면 바람 방향이 자주 바뀐다. 오크 뱃속에 들어가는 것만큼은 죽어도 싫었던 라이였기에, 바람 방향이 바뀔 때마다 킁킁거리며 냄새를 확인했다. 오크족에 대한 대비를 후각에 전적으로 의지하고 있는 라이로서는 바람이 뒤쪽에서 불어오는 게 제일 싫었다. 앞쪽에 오크가 매복하고 있는지 전혀 알 수가 없었기 때문이다.

또다시 모퉁이를 한 바퀴 돌았을 때였다. 라이는 급히 리치몬드를 불러 세웠다.

"리치몬드 씨, 잠깐만요."

"무슨 일인데 그러나?"

"저쪽에 오크가 매복하고 있을 가능성이 큽니다."

라이가 손짓으로 가리킨 곳은 저 앞 급경사 위쪽이었다. 산을 한 바퀴 돌면서 이쪽으로 왔기에, 저 위쪽을 제대로 관찰할 수 있을 정도로 가깝게 접근하지도 못한 상태다. 더군다나 바람은 등 뒤쪽에서 불어오고 있었다.

이런 상황이라면 제아무리 후각이 좋다고 해도, 앞에 숨어 있는 오크의 냄새를 맡는다는 것은 불가능한 일.

리치몬드는 인상을 찌푸리며 말했다.

"자네의 감이 좋은 건 이미 알고 있네. 하지만 그렇게 단언하는 건 나로서는 도저히 이해가 안 가는구면. 바람 방향으로 봐서 저쪽의 냄새를 맡을 수도 없는 상황이 아닌가? 게다가 지금까지 저런 지형을 만난 게 한두 번도 아니고 말이야. 그런데도 저 위에 오크가 매복하고 있다는 것을 확신하다니. 무슨 근거라도 있나?"

라이는 자신 있게 말했다.

"이쪽으로 돌면서 바람의 방향이 바뀌었기 때문이죠."

"바람의 방향이 바뀌었다고?"

"예. 방금 전에 리치몬드 씨가 말씀하셨듯 저런 지형을 꽤 많이 만났었죠. 하지만 그때는 다 바람이 이쪽으로 불어 줬습니다. 등 뒤에서 바람이 부는 상태에서 저런 지형을 만난 건 이번이 처음입니다."

"라이의 말이 일리가 있습니다."

젠슨이 자신의 의견에 동조해 줬기에 라이는 힘을 내서 덧붙였다.

"오크는 후각이 아주 뛰어납니다. 그리고 오크들이 사냥하는 대부분의 동물들도 후각이 뛰어난 편이죠. 제가 만약 오크라면 저 위쪽에서 매복하고 기다리고 있을 겁니다. 완벽한 기습이 가능하니까요."

라이는 리치몬드가 어떤 결정을 내릴지 궁금했다. 이대로 돌아갈 것인가? 아니면 자신의 경고를 무시하고 곧장 앞으로 나갈 것인가. 그것도 아니라면 저 위쪽으로 누군가 정찰을 보내 확인해 볼 것인가…….

가장 가능성이 큰 것은 세 번째일 것이라고 라이는 생각했다. 하지만 문제가 있었다. 위쪽으로 헐떡거리며 올라간 사람을 오크가 가만히 놔두겠느냐 하는 것이다. 필히 죽임을 당할 게 뻔한데, 이런 상황에서 누구를 사지(死地)로 보내겠는가.

'젠장. 여기 있는 사람들 중에서 가장 만만한 게 나니까, 나보고 올라가라고 하겠지? 저 위쪽에 오크가 있다고 말을 꺼낸 것도 나니까 말이야. 이럴 줄 알았으면 그냥 조용히 있을 걸 그랬나…….'

심각한 표정으로 살길을 궁리하고 있는 라이의 마음을 아는지 모르는지, 리치몬드는 급경사 위쪽을 살펴보고 서 있었다.

"적게 잡아도 백 마리쯤은 있다고 봐야 하겠지? 나 혼자서는 조금 벅차겠군."

리치몬드는 젠슨을 향해 말했다.

"자네가 도와줘야겠어."

"여부가 있겠습니까."

둘의 대화를 듣고 라이는 일단 마음을 놓았다. 자신이 저 위에 올라가지 않아도 되니까. 하지만 그렇다고 해서 상대의 의견에 찬성하는 것도 아니었다. 오히려 리치몬드의 리더로서의 자질에 대해 더욱 불신감만 느끼게 만들었을 뿐이다.

라이는 어이가 없다는 듯 급히 물었다.

"설마 둘이서 저 위로 올라가실 생각이십니까?"

"물론일세."

"만약 제 추측이 옳다면, 두 분은 살아서 내려오기 힘들다구요."

"자네가 그런 걱정까지 해 줄 필요는 없다네."

단호하게 말을 끊은 리치몬드는 고개를 돌려 수녀를 향해 말했다.

"우리 두 사람에게 축복을 부탁드립니다, 소피아 수녀님. 속도 증가와 근력 증가가 좋겠군요."

"그렇게 되면 한동안은 치료마법을 쓸 수가 없습니다. 괜찮으시겠습니까?"

"물론입니다, 소피아 수녀님. 오크들의 숫자가 많은 건 문제가 되지 않습니다. 제가 걱정하는 건, 저 위에 오크가 없으면 어쩌나 하는 거지요."

라이는 두 사람의 대화를 이해할 수가 없었다.

'속도 증가? 근력 증가? 그게 뭐지? 사제는 상처 치료만 할 수 있는 게 아니었나?'

지금껏 라이가 봐 왔던 사제들 중에서 상처 치료 외에 다른 마법을 구사한 사람이 단 한 명도 없었기에 발생한 무지였다. 라이의 생각은 더 이상 이어지지 못했다. 소피아 수녀가 신성마법을 구사하기 시작했던 것이다.

마치 춤과도 같은 부드러운 율동. 그리고 그에 맞춰 입으로는 특이한 음률의 노래를 나직이 부른다. 곧이어 그녀의 몸에서 희미한 빛까지 흘러나오기 시작하자 현실이 아닌 듯한 몽환적인 분위기까지 느껴졌다.

라이가 홀린 듯 바라보는 가운데, 언제 주문이 끝났는지 수녀의 행동이 멈췄다. 그 순간, 리치몬드와 젠슨의 몸에서 뭔가 희뿌연 빛이 일렁이는가 싶더니 빛이 사그라졌다.

"휴우, 다 끝났습니다."

"그럼 다녀오겠습니다."

소피아 수녀에게 인사를 건네는 듯하더니, 다음 순간 그 둘의 신형은 엄청난 속도로 산 위를 향해 달려 올라가기 시작했다.

정말이지 놀라운 속도였다. 일행 중에서 가장 중무장을 하고 있는 두 사람이, 라이가 맨몸으로 올라가는 것보다 더 빠른 속도로 가파른 산길을 달려 올라가고 있는 것이다.

라이는 그런 모습을 보면서 놀라움을 감출 수가 없었다. 저런 게 실제로 가능할 거라고는 상상조차 해 본 적이 없었으니까.

잠시 후, 충격에서 깨어난 라이는 소피아 수녀를 향해 황급히 물었다.

"수, 수녀님. 방금 전에 본 게 꿈은 아니겠죠?"

호들갑스런 라이의 반응에 수녀는 얼굴을 붉히면서도 차분히 대답해 주었다.

"그리 대단한 마법도 아니야."

"대단한 마법이 아니라뇨. 저 둘이 산 위로 달려가는 모습을 보시고도……. 참, 그리고 보니 그렇게 만든 건 수녀님이었지. 정말 대단하십니다. 저런 게 마법으로 가능하다는 걸 오늘 처음 알았어요."

"일반인들이 마법사나 신관을 볼 일이 거의 없으니까 그렇게 생각하는 거겠지. 하지만 세월이 흘러 네가 좀 더 경험을 쌓게 되면 알게 될 거야. 나 정도는 별로 대단할 것도 없다는 것을 말이야."

"도저히 믿겨지지 않는데요."

소피아 수녀는 생긋 미소 지으며 말했다.

"정말이야. 각 종단의 대신관님들의 능력을 언제 볼 기회가 생긴다면, 나랑은 차원이 다르다는 것을 금방 알 수 있을 거야."

소피아 수녀의 말에 라이는 과거를 떠올리며 떨떠름하게 대답했다.

"그, 그렇습니까……?"

라이가 기억하는 대신관의 능력은 그리 대단할 게 없었다. 무슨 정신계 마법을 쓴답시고 하다가 안 되자 허둥거리던 모습, 그러다가 갑자기 불을 뿜어 화상을 입히지를 않나, 곧이어 난처한 얼굴로 치료해 주지를 않나…….

대신관이라면 뭔가 대단한 권세와 위엄을 떠올릴 수 있어야 함에도, 그가 기억하는 대신관의 모습은 전혀 그렇지가 않았다. 당황하고, 허둥대는 그런 초보자와 같은 모습이었다.

이때, 테귤러가 해 줬던 말이 문득 떠올랐다.

「대신관께서 행한 것은 너의 육체적 능력을 좀 더 활성화시키기 위한 비법이다.」

그날 이후, 자신의 몸이 조금씩 달라진 게 사실이지 않은가. 웬만해서는 지치지도 않았고, 아무리 고된 일을 해도 다음 날 일어나면 온몸이 상쾌했다.

'그러고 보면 정말 대단한 분이셨을지도……?'

신성마법이라는 것에 대해 소피아와 얘기를 나누다 보니 시간이 얼마나 지났는지도 몰랐다. 닉이 소피아 수녀에게 말을 걸기 전까지.

"이제 끝난 모양입니다. 가시죠, 수녀님."

그제야 라이는 산 위쪽으로 시선을 돌렸다. 젠슨이 서 있는 게 보였다. 그는 손짓으로 이동해도 좋다는 신호를 열심히 보내고 있었다.

나귀를 이끌고 길을 따라 올라가다 보니, 저 높은 비탈에서부터 미끄러지듯 내려오는 두 사람의 모습이 보였다. 리치몬드와 젠슨이었다. 두 사람의 움직임으로 봐서 다행히도 부상을 당한 사람은 없는 듯했다.

조금 더 시간이 지나 서로 간의 거리가 더욱 가까워지자 라이는 그 둘이 벌인 엄청난 격전의 흔적을 볼 수 있었다. 두 사람의 몸은 붉은 피로 흠뻑 젖어 있었던 것이다.

합류하자마자 리치몬드는 활짝 웃으며 라이에게 말했다.

"이번에도 자네 공이 커. 놈들이 이 위쪽에 매복하고 있다는 걸 자네가 눈치채지 못했다면 정말 큰일 날 뻔했다네."

"오크가 꽤 많았던 모양이죠?"

닉의 물음에 젠슨이 대답해 줬다.

"100여 마리는 족히 되었던 것 같아. 그중 70여 마리쯤 죽였더니, 나머지는 꽁지가 빠지게 달아나 버렸지. 아마 두 번 다시 우리를 노리고 공격해 오지는 못할 거야."

젠슨의 말에 라이는 놀라지 않을 수 없었다.

"두, 둘이서 오크를 70여 마리나 죽였다는 겁니까? 그게 대체 가능한 건가요?"

며칠 전에 오크 떼의 기습공격을 당했을 때 이들의 실력을 살짝 구경할 수 있었다. 리치몬드나 젠슨의 실력이 꽤 뛰어난 것은 사실이었지만, 그렇다고 오크를 무자비하게 학살을 할 정도는 아니었다. 파티 전체가 오크 30여 마리 때문에 하마터면 전멸당할 뻔했었으니까.

그런데 겨우 둘이서 산 위로 달려 올라가 오크 100여 마리와 싸워 그중 70여 마리를 죽여 없앴다니. 저게 새빨간 거짓말이 아니라면, 신성마법 덕분일 것은 불 보듯 뻔한 사실.

'우와, 신성마법이라는 게 이렇게나 대단한 것일 줄이야. 세상에! 이래서 옛날 영웅담에 나오던 용사 파티에 사제가 빠지지를 않았던 거였구나. 나는 그거 다 재미있자고 써 놓은 거짓말인줄 알았는데······.'

젠슨은 외갑과 투구, 방패를 벗어 당나귀 등에 실으며 연신 투덜거렸다.

"에휴~, 어디 씻을 데 없나? 피가 말라붙으면 씻어 내기 힘든데······."

그러자 리치몬드는 길을 가리키며 말했다.

"너무 걱정 말게. 반나절쯤 더 가면 냇물이 나올 거야."

"망할 오크 놈들. 한주먹거리도 안 되는 것들이 꼭 시비를 걸어 사람 피곤하게 만든다니까. 에휴, 그나저나 이거 온몸이 온통 피로 끈적거려서 기분 더럽네."

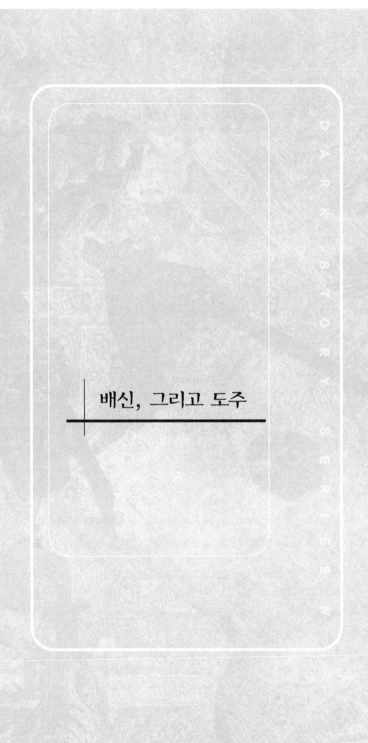

배신, 그리고 도주

32

불완전한 각성

오크족과의 전투 이후, 그들을 위협하는 몬스터는 더 이상 나타나지 않았다. 3일을 더 간 후에야 그들은 겨우 목적지에 도착할 수 있었다.

"저기에 동굴이 보이지? 저곳이 바로 던전 입구일세."

리치몬드의 손가락이 향한 곳으로 고개를 돌리자 커다랗게 뚫려 있는 동굴이 보였다. 동굴 입구 크기만 해도 엄청나게 커서, 안에 굉장한 던전이 숨겨져 있을 것 같은 기대감을 갖게 만들었다.

동굴 입구를 바라보던 라이는 흥분으로 가슴이 터질 것만 같았다. 이들과 만나 모험을 떠난 이래 하루하루가 꿈만 같았다. 이런 식으로 어렸을 때의 꿈을 이루게 될 줄이야. 더군다나 던전은 그런 꿈의 정점이라고 볼 수 있었다. 악당 보스가 숨어 있는 곳이 바로 던전이었으니까.

해가 지려면 아직 반나절 정도의 여유가 있었지만, 리치몬드는 결코 서두르지 않았다.

"오늘은 이곳에서 야영을 하며 준비를 단단히 한 다음, 동굴에는 내일 아침 들어가기로 하세."

리치몬드의 제안에 모두들 찬성했다. 일주일간의 강행군으로 인해 모두들 몸과 마음이 지쳐 있었던 것이다. 모두들 쉴 곳을 찾아 지친 몸을 눕히기 바쁜데, 리치몬드는 젠슨에게로 시선을 돌리며 말했다.

"쉬려고 하는데 이런 말 꺼내기는 좀 미안하네만, 자네는 동굴 안으로 들어가 슬쩍 살펴보고 오게. 잠자다가 동굴 안에서 갑자기 튀어나온 몬스터에게 습격당하는 상황만큼은 피하고 싶으니 말일세."

"핫핫, 그러지요, 뭐. 얼른 둘러보고 오도록 하겠습니다."

떠난 지 삼십 분쯤 지난 후, 젠슨이 돌아왔다.

"생각 외로 발자국이 별로 없었습니다. 제법 깊은 곳까지 들어가 봤는데, 안쪽은 석회동굴이더군요. 워낙에 습기가 많은 곳이라 동굴에 자리잡은 동물이 없었던 모양입니다."

"그렇다면 다행이로군. 그리고 습기가 많다는 점도 꽤 마음에 들어."

그 말에 젠슨은 고개를 갸우뚱거리며 물었다.

"축축해서 좋을 건 없다고 생각하는데요?"

"뭘 모르는군. 우리들은 지금 던전을 발굴하러 온 걸세. 정밀한 기계장치는 습기에 매우 취약하지. 그만큼 함정 걱정을 안 해도 된다는 건데, 내가 싫어할 리가 없지 않겠나."

"그건 그렇군요. 자, 오늘은 모두들 배불리 먹고 푹 쉽시다. 내일은 또 얼마나 고생을 해야 할지 알 수가 없으니까 말입니다."

다음 날, 일행은 10시쯤 되어서야 동굴 안으로 들어갔다. 동굴 속으로 얼마 들어가지 않았는데도 불구하고, 공기가 서늘하면서도 축축하게 느껴졌다.

　좀 더 깊이 들어가자 석회석 동굴 특유의 형상들이 모습을 드러내기 시작했다. 횃불의 밝은 불빛을 받고 반짝이는 석순들. 흔히 보기 힘든 석순의 아름다운 모습에 소피아 수녀는 눈을 떼지 못했다.

　동굴 안으로 깊이 들어가면 들어갈수록 바닥의 물기가 점점 더 많아지더니, 급기야는 발목이 잠길 정도의 깊이가 되었다. 졸졸거리며 흐르는 시원해 보이는 물의 유혹에 라이는 잠시 투구를 벗고 물을 떠 마셨다. 정말 가슴속 깊은 곳까지 시원해질 정도로 맑고 깨끗한 물맛이었다.

　그런 라이를 못마땅하다는 눈길로 바라보고 있던 닉이 도저히 참기 힘들다는 듯 퉁명스럽게 말했다.

　"리치몬드 씨가 허락한 것도 아닌데, 투구를 네 멋대로 벗으면 어떻게 해? 빨리 다시 써."

　오크와의 전투 이후, 닉은 별것도 아닌 일로 트집을 잡아 라이를 질책하곤 했다. 속이 뒤틀렸지만 라이는 애써 참았다. 어쨌거나 자기는 이 파티에서 신참이었으니까.

　'젠장. 그래 너 잘났다, 새꺄.'

　어딘가에 함정이 설치되어 있을 가능성이 큰 만큼, 모두들 세심하게 주위를 살피며 이동했다. 하지만 아무리 동굴 깊숙이 들어가도 함정 같은 건 나타나지 않다 보니 모두의 조심성은 조금씩 무뎌지고 있었다.

그런데 바로 그때였다. 뭔가 시커먼 음영이 빠른 속도로 움직이는 듯하더니 캉! 하는 쇳소리가 울려 퍼졌다.

"무슨 일인가?"

"모⋯, 모르겠습니다. 뭔지 모르겠지만, 갑자기 저를 때렸는데⋯⋯."

직접 공격을 당한 젠슨조차도 상대가 뭔지를 파악하지 못했다는 소리다. 모두들 당황하여 주위를 연신 두리번거렸다. 이때, 또다시 뭔가가 젠슨을 향해 번개처럼 돌진해 왔다. 이번에는 미리 대비를 하고 있다 보니 적의 움직임을 조금은 파악해낼 수가 있었다.

놈은 천장의 석주 뒤쪽 어두운 곳에 숨어 있다가 불시에 튀어나온 것이다. 석회동굴 안은 꽤나 넓었지만, 어둡고 시야가 좋지 못하다 보니 적의 움직임을 파악하는 데는 한계가 있었다.

"엇!"

간신히 방패로 적의 공격을 막아 낸 젠슨은 곧바로 검을 휘둘렀다.

"키이익!"

괴성을 지른 것으로 봐서 베인 것 같았지만, 미지의 적은 나타났던 것만큼이나 빠른 속도로 어둠 속으로 사라져 버렸다.

망연한 표정으로 어둠 속을 바라보고 있는 젠슨을 향해 리치몬드가 물었다.

"그게 뭐던가?"

"어두워서 제대로 보지는 못했습니다만…, 제 짐작으로는 놀 (Gnoll) 같습니다."

"놀이라고?"

리치몬드는 다급한 어조로 동료들에게 경고했다.

"그게 정말 놀이라면 큰일이군. 모두들 조심하게. 놀은 독이 있는 몬스터니까 말이야. 만약 작은 상처라도 입게 되면, 곧바로 소피아 수녀님께 치료를 받도록 하게. 알겠나?"

바짝 긴장한 라이는 자신도 모르게 마른침을 꼴딱 삼켰다. 놀이라면 직접 보지는 못했지만, 얘기는 몇 번 들어 본 적이 있었다. 늑대와 원숭이를 합쳐 놓은 듯한 생김새의 몬스터라고 했다. 독을 제외하면 그리 대단한 몬스터는 아니었지만, 사람들이 놀을 두려워 하는 것은 그 엄청난 숫자 때문이었다. 군집생활을 하는 놀의 습성상 한 마리를 발견하게 되면 그 뒤로 수백 마리는 보통이고, 많게는 천 단위를 훌쩍 뛰어넘을 정도로 많이 있다고 봐야 했다.

"돌아가는 게 좋지 않을까요?"

닉이 두려움 섞인 어조로 말했지만, 리치몬드는 들은 척도 하지 않았다. 여기까지 오느라 온갖 개고생을 다 했는데, 시도조차 해 보지 않고 이대로 허무하게 포기한다는 건 말이 되지 않았으니까.

"천천히 앞으로 전진한다."

결정을 내린 리치몬드는 각자에게 임무를 배당했다.

"라이, 자네는 후미에서 따라오면서 당나귀들을 보호하게."

“예.”

“닉, 놈들이 얼마나 되는지 알 수 없으니 가급적 화살을 아끼도록 하게.”

“알겠습니다.”

앞쪽에서 쿵, 퍽 하는 소리가 간혹 들려왔다. 라이는 뒤쪽을 신경 쓰느라 앞쪽은 제대로 보지도 않고 뒷걸음질로 이동하는 중이었다. 이때, 라이의 발에 뭔가 물컹한 것이 밟혔고, 그 탓에 하마터면 엉덩방아를 찧으며 넘어질 뻔했다.

급히 고개를 숙여 아래쪽을 바라보니 피투성이가 된 채 쓰러져 있는 놀의 사체가 보였다. 윤기가 도는 시커먼 털, 그리고 길쭉한 주둥이 틈을 비집고 솟아 있는 긴 송곳니가 아주 인상적이었다. 저 정도라면 가죽갑옷도 쉽게 뚫을 수 있을지 몰랐다.

용병대 고참에게 얘기 들었던 대로 머리 모양은 늑대와 비슷했고, 몸은 날렵한 원숭이를 떠올릴 정도로 호리호리하게 생겼다. 저런 신체 조건을 가지고 있으니, 석주 사이를 마치 제집처럼 날쌔게 뛰어다닐 수 있었던 것이리라.

놀의 사체를 본 라이의 마음은 한결 차분하게 가라앉았다. 어쨌거나 상대가 가능한 것만큼은 틀림이 없었으니까. 예전에 헤슬러 일행과 함께 집을 떠났을 때 맞닥뜨렸던 트롤이 안겨 줬던 공포감을 라이는 아직까지도 잊지 못한다. 대적 불가능한 몬스터를 만나면 도망치는 것만이 살길이라는 것을 그의 뇌리에 깊이 각인시켜 준 게 바로 트롤이었으니까.

"휴~, 이 정도면 뭐, 충분히 상대할 만하겠네."

이때였다! 석회동굴 특유의 수없이 많이 솟아 있는 석순들 사이에서 갑자기 시커먼 게 튀어나온 것은. 라이는 반사적으로 방패로 앞을 가로막았다.

퉁!

다른 사람들의 것과 달리 라이의 방패는 겉을 가죽으로 감싼 나무 방패다. 강철 방패에 비한다면 방어력이 떨어지지만, 무게가 가벼워 사용하기 편리하다는 장점이 있었다. 라이는 곧바로 도끼를 휘둘렀지만, 손에 아무런 느낌도 들지 않았다.

"젠장, 엄청나게 빠르네."

도끼는 장검에 비해 파괴력은 뛰어나지만, 무겁고 길이가 무척 짧다. 놀처럼 재빠른 몬스터를 상대하는 데는 적합한 무기가 아니었던 것이다.

라이는 닉을 향해 급히 말했다.

"닉, 네 검 좀 빌려 주면 안 돼?"

닉은 생각해 볼 것도 없다는 듯 단숨에 거절했다.

"싫어."

라이는 자존심이 상했지만, 그래도 재차 부탁했다. 그것 외에 다른 방법이 없었으니까.

"제발 좀 빌려 줘. 이런 도끼로는 놀을 도저히 잡을 수가 없어서 그래."

"안 되는 건 안 되는 거야. 한 자루밖에 없는 검을 너에게 빌려 주고 나면, 난 뭘 가지고 싸우라는 거야?"

닉은 지금 활을 주 무기로 사용하고 있는 중이다. 쓰지도 않는 검을 가지고 있을 바에야, 자신에게 빌려 주는 편이 파티 플레이에 훨씬 도움이 될 것은 뻔한 사실. 라이는 리치몬드의 눈치를 슬쩍 살폈다. 라이에게 검을 빌려 주라는 말을 하기를 간절히 바라면서…… 하지만 라이의 기대와는 달리 리치몬드는 못 들은 척 외면했다.

그때 소피아 수녀가 보다 못해 끼어들었다.

"괜찮다면 여기 내 검을 써. 어차피 나는 검을 제대로 다루지도 못하니까."

소피아가 지니고 있는 검은 여성들이 호신용으로 즐겨 쓰는 샤벨(Shabel)이었다. 검신의 길이가 70Cm 정도밖에 되지 않았지만, 그래도 지금 그가 들고 있는 도끼보다는 100배 더 나았다. 라이는 염치불구하고 냉큼 받아 들었다.

"감사합니다, 수녀님."

"그럼, 잘해 봐."

"맡겨만 주십쇼."

샤벨을 들고 보니 왜 이 검에 여성용이라는 딱지가 붙은 것인지를 알 만했다. 장검에 비해 엄청나게 가벼웠다. 라이는 회심의 미소를 지었다.

'어디 걸리기만 해 봐라. 두 토막을 내 주마.'

기회는 머지않아 찾아왔다. 방금 전에 라이를 공격하고 튀었던 바로 그 놈이 재차 공격을 시도해 왔던 것이다.

퉁!

공격이 방패에 막힘과 동시에 방패를 발로 차 뒤로 몸을 날리는 놀. 그 순간, 은빛 궤적이 번개처럼 놀의 신형을 뒤쫓았다.

"키에엑!"

이미 치명상을 입었음에도 불구하고, 놀의 몸은 관성(慣性)에 따라 4미터쯤 날아간 후에야 바닥에 나뒹굴었다.

털썩!

앞서 가고 있는 젠슨이나 리치몬드가 꽤 오랜 시간 검을 휘둘러서 겨우 한 마리 잡는 데 성공한 것을, 라이가 단번에 해낸 건 검이 가벼웠기 때문이다. 하지만 그렇게 가벼운 검을 휘둘렀음에도 불구하고 놀의 몸을 두 토막 내지 못한 것은, 그만큼 놀의 움직임이 재빨랐던 탓이다.

"좋았어! 우선 한 마리!"

샤벨을 치켜들며 기분 좋게 웃음을 터트리는 라이의 모습을 뒤에서 노려보고 있는 닉의 눈동자가 더욱 싸늘하게 식어갔다.

안으로 들어가면 들어갈수록 놀의 공격은 점점 더 심해졌다. 처음에 우려한 대로 이곳에 서식하고 있는 놀의 숫자가 꽤 많은 것처럼 보였다. 아마도 그래서 이런 좋은 동굴이 있는데도 불구하고 그 어떤 몬스터도 자리를 잡지 못했던 모양이다.

"죄송합니다. 아무리 흔적이 없었다고 해도 이런 커다란 동굴을 오크들이 그냥 놔둘 리 없다는 것에 의심을 품었어야 했는데……."

젠슨의 사과에 리치몬드는 별것 아니라는 듯 대답했다.

"그런 말 말게. 놀은 나도 전혀 생각도 못했으니 말일세. 설사 놀이 있다는 것을 미리 알았다고 해도 뭐가 달라졌겠나? 어차피 우리는 던전의 보물을 발굴하기 위해 여기까지 오지 않았나. 이보다 더 안 좋은 상황이라 해도 들어왔을 거야."

"그건 그렇지만……."

고개를 끄덕이며 어색하게 웃는 젠슨의 어깨를 툭툭 쳐 준 리치몬드는 뒤를 돌아본 뒤 큰 소리로 외쳤다.

"자, 우리를 기다리고 있을 수많은 보물들을 생각하며 모두들 힘내자!"

"우와~~!"

모두들 환호성을 질러 화답했다. 그렇다. 보물을 생각하면 없던 힘도 불끈불끈 솟아오른다. 파티원들은 힘을 내어 공격하는 놀들을 베며 앞으로 조금씩 전진하기 시작했다. 휘황찬란하게 빛나고 있을 보물을 향하여!

얼마나 들어갔을까……. 커다란 공동(空洞)이 모습을 드러냈다. 횃불로 이리저리 비춰 봐도 벽면이 보이지 않을 정도로 공동 안은 넓었다. 그리고 어둠 속에서 불빛을 받아 붉게 빛나고 있는 수십 개의 눈동자들. 저 붉게 물든 놀의 눈동자만 봐도 놈들이 이곳을 순순히 통과시켜 줄 리 만무하다는 것을 잘 알 수 있었다.

리치몬드가 공동 안으로 들어가기 직전에 닉이 일행들을 멈춰 세웠다.

"모두들 저게 안 보여요? 이대로 저 안으로 들어가는 건 자살 행위라구요."

그러자 젠슨이 공동 안을 대충 훑어보며 심드렁한 목소리로 대꾸했다.

"생각보다 그리 많지 않구만. 끽 해야 삼사십 마리쯤 될까?"

"그게 적다는 말씀이십니까? 지금까지 한두 마리씩 덤빌 때도 잡느라 그 개고생을 했었는데……."

하지만 젠슨은 히죽 웃으며 쾌활한 어조로 입을 열었다.

"그렇다고 이대로 돌아갈 수는 없잖아. 그러니 모험을 해 보는 수밖에. 안 그래?"

그 말에 찬성한다는 듯 리치몬드도 거들었다.

"자네가 그렇게 겁먹을 만큼 어려운 상대는 아닐세. 놈의 손톱은 물론이고, 이빨조차도 우리 갑옷을 꿰뚫고 들어오지 못해. 물론 수십 마리가 한꺼번에 덤벼든다면 좀 위험할 수도 있겠지만, 우리가 힘을 합쳐 적절히 대응만 잘한다면 충분히 상대할수가 있어. 그러니 힘을 내세나. 여기까지 와서 빈손으로 그냥되돌아갈 수는 없는 노릇이 아닌가?"

닉의 대답은 들을 생각도 없다는 듯 고개를 돌린 리치몬드는 일행을 향해 말했다.

"이곳 지형의 구조상 한 번에 진입하는 건 그다지 좋은 방법이 아닌 것 같네. 그러니 여기서부터는 2개 조로 나눠 행동하기로 하세. 라이, 자네는 소피아 수녀님과 함께 이곳에서 퇴로를 확보하고 있게. 우리 셋이 앞으로 나가면서 길을 개척해 보겠네.”

그때 시무룩한 표정으로 서 있던 닉이 재빨리 끼어들었다.

“제가 남아 있으면 안 될까요?”

“말도 안 되는 소리!”

단호하게 닉의 의견을 묵살한 리치몬드는 방금 전에 통과해 온 동굴 쪽을 손가락으로 가리키며 말을 이었다.

“아마 우리를 뒤따라오고 있는 놈들의 숫자도 그리 적지는 않을 걸세. 그럼 물어보겠네. 자네 혼자서 소피아 수녀님을 지키며 그놈들을 상대할 수 있겠나?”

“그, 그건…….”

그제서야 말을 채 잇지 못하고 힘없이 고개를 떨구는 닉.

라이는 순간 닉의 얼굴을 감싸고 있는 투구를 확 벗겨 버리고 싶었다. 투구만 아니었다면 굴욕감에 가득 찬 녀석의 얼굴을 바라보며 마음껏 비웃어 줄 수 있었을 텐데……. 그래서인지 라이의 오른손이 닉을 향해 자꾸만 움찔거리고 있었다.

“어쩌면 퇴로를 지키는 것이 더 위험할 수도 있네. 우리 파티의 개개인의 실력을 감안해서 내린 결정이니, 자네는 우리와 함께 가면서 지원사격을 해 주는 게 최선이야. 알겠나?”

더 이상 반박할 말이 없었는지, 닉은 고개를 푹 숙이며 기어들어가는 목소리로 대답했다.

“예.”

닉의 일그러진 얼굴을 감상할 수 없었던 것은 무척 아쉬웠지만, 녀석의 풀이 죽은 목소리만으로도 라이의 기분은 아주 상쾌

해졌다. 다만 웃음이 터져 나오려는 것을 참는 게 고역이었다. 그리고 한편으로는 닉보다 자신의 실력을 훨씬 높게 평가해준 리치몬드에게 고마움마저 느꼈다.

리치몬드는 닉이 쥐고 있던 당나귀의 고삐까지도 모두 소피아 수녀에게 건네주며 말했다.

"일단은 라이와 함께 여기에 계시다가, 우리가 신호를 하면 나귀들을 몰고 와 주십시오."

그리고 라이에게로 시선을 돌리며 당부했다.

"소피아 수녀님을 잘 부탁하네."

"걱정하지 마십시오. 여기까지 오면서 놀을 다섯 마리씩이나 잡은 접니다. 수녀님은 제가 확실하게 보호하겠습니다."

"그래, 그럼 부탁하네."

돌아서서 공동 안으로 걸어 들어가려는 리치몬드를 향해 소피아가 황급히 말을 걸었다.

"지금 신성마법을 걸어 드릴까요? 하다못해 속도 증가만이라도……."

"아뇨. 좀 더 위험할 때 사용하는 게 좋겠습니다. 아직 동굴 안으로 얼마 들어가지도 못한 상태인데, 벌써부터 마법의 도움을 받아서야 쓰겠습니까. 그리고 혹시라도 놈들의 독에 당했을 때도 대비해야죠."

수녀의 제안을 정중하게 거절한 리치몬드는 젠슨과 닉을 데리고 조심스럽게 공동 안으로 걸어 들어갔다.

리치몬드 일행이 공동 안으로 20여 미터쯤 들어갔을까? 횃불에 비춰 붉게 빛나던 눈동자들이 일순 깜빡거리더니, "끼익!" 하는 괴성을 신호로 사방에서 놀들이 떼거지로 덤벼들기 시작했다. 그 숫자는 삼사십 마리 정도가 아니었다. 최소한으로 잡아도 백 마리는 넘어 보였다. 아니, 어쩌면 이백 마리가 넘을지도……

겨우 몇 십 마리쯤 있을 거라는 짐작은 치명적인 오판이었다.

"끽끽! 끼긱!"

"모두 정신차려!"

"으아악!"

넓은 공동에 비명과 고함 소리가 울려 퍼지자 알아듣기 힘든 괴성들까지 들려왔다. 그리고 그 순간, 라이는 자신을 향해 달려오는 수십 마리의 놀들을 볼 수 있었다. 긴장감에 방패를 힘껏 움켜쥔 라이는 재빨리 뒤쪽을 살펴봤다. 다행히 자신들이 통과해 들어온 방향은 조용했다.

"제, 젠장, 어떻게 해야 하는 거야?"

시간이 없었다. 빨리 결단을 내려야만 했다. 이대로 싸우다가 죽을 것인지, 아니면 아직 실낱같은 기회가 남아 있을 때 도망칠 것인지. 앞서 공동 안으로 들어간 일행은 새까맣게 덤벼드는 놀들에게 둘러싸여 생사조차 알 수가 없는 상황.

리치몬드와 젠슨의 실력이 뛰어난 것은 알고 있었지만, 저렇게 많은 놀들을 상대로 과연 살아남을 수나 있을까? 그리고 문제는 지금 눈에 보이는 놀들 외에도 얼마나 더 많은 숫자의 놀이 저 어둠 속에 숨어 있을지 알 수가 없다는 점이었다. 언제부터인지 검을 쥐고 있는 라이의 손이 덜덜 떨리고 있었다.

이때, 라이는 자신의 손을 감싸 오는 따뜻한 온기를 느꼈다. 흠칫해서 옆을 바라보니 소피아 수녀가 미소를 지으며 자신을 바라보고 있었다. 그런데 어딘지 모르게 그녀의 미소는 슬퍼 보였다.

"너무 두려워하지 마. 여신께서 우리를 버리지는 않으실 거야. 그러니 기운 내."

이런 상황에서 어떻게 죽음을 두려워하지 않을 수 있단 말인가. 살아남기 위해 자신이 그동안 겪어야 했던 지난 과거를 떠올리기만 해도 눈물이 앞을 가릴 정도인데. 만약 이런 동굴 속에서 허무하게 놀에게 죽을 거였다면, 용병단에서 아예 탈출하지도 않았을 것이다.

라이는 살고 싶었다. 무슨 짓을 해서라도. 그리고 이 절망적인 순간에도 자신을 위로하려 애쓰고 있는 수녀 역시 살려 주고 싶었다. 위로해 준답시고 자신의 손을 잡고 있는 그녀의 손 역시 공포에 질려 가녀리게 떨리고 있었다.

갑자기 왜 그런 생각을 했는지는 모른다. 라이는 소피아 수녀의 손을 꽉 붙잡고 무작정 밖을 향해 내달리기 시작했다.

"이, 이러면 안 돼! 동료들을 놔두고, 어떻게 우리들만……."

"저 사람들이 살아 있을 거라고 생각하십니까? 한번 생각을 해 보십쇼. 놀이 이삼백 마리는 족히 되어 보였습니다. 더군다나 이렇게 넓은 공동 안이라면……. 우리 둘이 그들을 도우러 들어가 봐야, 시체 둘을 더 늘릴 뿐입니다. 아시겠습니까?"

라이의 말에 수녀는 아무런 대꾸도 하지 못했다. 그녀도 아는 것이다. 그들이 살아 있을 가능성이 거의 없다는 것을. 뜻밖에도 수녀가 아무런 대꾸도 하지 않자 라이는 그녀를 힐끗 쳐다봤다. 일렁이는 횃불에 비친 그녀의 두 눈에서는 뜨거운 눈물이 흘러내리고 있었다.

'이런 젠장! 누군 동료를 버리고 도망치는 게 좋아서 이러는 줄 아나?'

라이는 더 이상 말을 해 봐야 구차한 변명으로밖에 들리지 않을 거라는 걸 잘 알았다. 그래서 입을 꾹 다문 채 소피아 수녀의 팔을 잡은 손에 힘을 더욱 주며 달리기 시작했다.

"끼히이잉!"

이때, 내버려 두고 온 당나귀들이 내지르는 처절한 비명 소리가 들려왔다. 아마 자신들을 향해 돌진해 오던 놈들이 당나귀들을 덮친 모양이다. 라이는 달리면서도 간절히 빌었다. 제발 놈들이 당나귀 고기를 먹는 데 정신이 팔려 자신들의 존재를 잊게 해달라고.

"끼익!"

"끽끽! 끼긱!"

뒤에서 끊임없이 들려오는 괴상한 울음소리와 당나귀들의 처참한 비명. 라이와 소피아 수녀는 둘 다 공포에 질려 무작정 밖으로 내달렸을 뿐이다. 어떻게 동굴 밖까지 달려 나왔는지는 알 수가 없었지만, 어쨌거나 그들은 밖으로 탈출하는 데 성공했다.

동굴 밖으로 나왔음에도 라이는 멈추지 않고 조금이라도 넓은 공터를 향해 달렸다. 움직임을 볼 수 있고, 대비할 약간의 여유만 가질 수가 있다면 놈 따위야 무서울 게 없었으니까.

"헉헉헉!"

한동안 숨을 고르며 동굴 입구를 살펴봤지만, 다행히도 놈은 한 마리도 밖으로 나오지 않았다. 사람 셋과 당나귀 네 마리로 만족한 모양이다.

"휴우~!"

그제야 안도의 한숨을 길게 내쉬는 라이. 하지만 그때까지도 소피아 수녀는 아무런 말을 하지 않고 있었다. 동료를 내팽개치고 자신들만 밖으로 도망쳤다는 게 너무나도 죄스러웠던 모양이다.

어느 정도 숨을 고른 후에 라이는 수녀의 손을 잡아끌며 말했다.

"여기 이렇게 계속 있을 수는 없어요. 해가 지기 전에 최대한 멀리 가야 합니다."

"정말…, 그들을 구할 수 없었을까?"

애처롭게 묻는 수녀를 향해 라이는 단호한 목소리로 대답했다.

"물론입니다. 그건 수녀님께서 저보다 더 잘 아실 거 아닙니까. 후퇴를 결정한 건 옳고 그름의 문제가 아닌, 좀 전의 상황에서는 최선의 선택이었으니까요."

물론 이건 소피아 수녀에게 하는 말인 듯싶었지만, 자기 자신에게 하고 싶었던 말이었다. 그렇지 않으면 동료를 버리고 도망쳤다는 죄책감에 시달려야 할 테니까. 하지만 정말 그 상황에서 동료들을 구출할 수 없었을까? 시도를 해 보지 않았으니, 그건 알 수가 없는 노릇이었다.

"신성마법을 걸어 드렸어야 했어. 최소한 '속도 증가' 만이라도 리치몬드 씨에게 걸어 드렸었다면 이런 사태까지는 오지 않았을 텐데⋯⋯."

"이미 지나간 일을 이제 와서 후회하셔 봐야 아무런 의미도 없습니다. 지금은 최대한 빨리 안전하게 마을로 돌아갈 고민을 하는 게 옳습니다."

최악의 상황임에도 불구하고 라이의 마음은 절망감이 아닌 묘한 기대감으로 잔뜩 들떠 있었다. 상황이야 어찌 되었든 지금 아름다운 수녀와 단둘이 있지 않은가.

물론 내딛는 걸음마다 몬스터가 튀어나오고 하루 종일 쫄쫄 굶게 된다고 해도, 그럼에도 낭만적일 것 같다는 생각이 들었던 것이다. 지금 라이의 나이는 열일곱, 한창 성에 눈을 뜰 나이였다. 때문에 아름다운 소피아 수녀와 함께 걸어간다는 사실 그 하나만으로도 그의 마음은 한껏 들떠 있었다.

"헉헉~, 좀 쉬었다가 가면 안 될까?"

"동굴에서 최대한 멀리 떨어져야 합니다."

"나, 다리 아파⋯⋯. 조금만 쉬었다가 가."

밤이 되어 어두워지기 전에 동굴에서 조금이라도 더 멀리 떨어지는 것만이 살길이었다. 마음은 급해 죽겠는데 다리가 아프다며 눈물을 흘리는 소피아 수녀가 너무 애잔해 보였다. 그랬기에 라이는 이래선 안 된다는 걸 잘 알면서도 그녀의 말을 들어주기로 했다.

"그럼 잠깐만 쉬었다 갈게요. 정말 잠깐만입니다. 해가 지기 전에 가급적 동굴에서 멀리 떨어져야만 하니까요."

"그래, 알겠어."

소피아는 말이 떨어지기 무섭게 자리에 털퍼덕 주저앉아 품속에 지니고 있던 육포를 꺼내 우물거리기 시작했다. 짭짤한 육포를 먹었으니 목이 마르는 것은 당연한 이치. 물까지 벌컥벌컥 들이키는 것을 보던 라이는 애가 타서 급하게 말했다.

"지금 가지고 계신 식량과 물로 마을까지 가야만 해요. 아껴서 드세요."

"알았어, 내 껀 내가 알아서 할게."

대부분의 식량과 물은 당나귀 등에 실려 있었다. 지금 그들이 가지고 있는 건 개인적으로 품속에 지니고 있던 약간의 육포와 작은 물통 하나씩이 전부였다. 아껴서 먹는다면 이틀 정도는 버틸 수 있을지 모르겠지만, 배고프다고 저렇게 먹어 대면 한입에 끝날 적은 양이었다.

하지만 라이는 모질게 말을 할 수가 없었다. 어쨌거나 소피아 수녀는 똑바로 쳐다보기 힘들 만큼 아름다운 여자였으니까.

'우와, 어떻게 된 게 얼굴이 온통 눈물 콧물 범벅인데도 저렇게 예쁘냐?'

지금까지 소피아 수녀가 이렇게 약한 모습을 보인 적은 단 한 번도 없었다. 아마 동료들을 내팽개치고 두 사람만 살겠다며 도망친 것에 대한 죄책감에 심신이 극도로 지친 것이 분명했다. 그래서 지금처럼 얼마 도망치지도 못했는데도, 다리가 아프다며 투정을 부리는 것이리라. 라이는 소피아 몰래 두 주먹을 불끈 쥐고, 그녀를 반드시 지켜 주겠다는 결심을 굳게 했다.

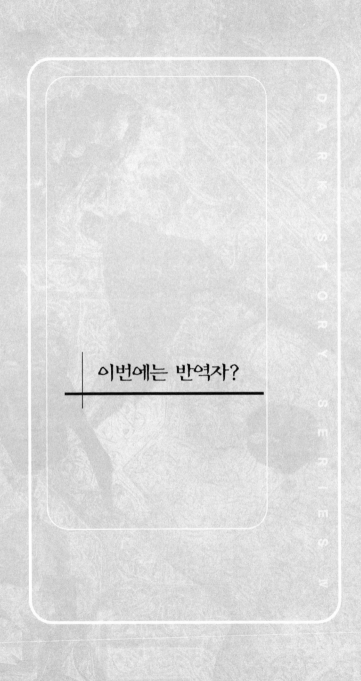

이번에는 반역자?

32

불완전한 각성

그래도 첫날은 그럭저럭 견딜 만했다. 그때까지는 육체적, 정신적으로 튼튼한 상태였으니까. 하지만 놀 때가 기습이라도 할 새라 뜬눈으로 밤을 새운 후부터는 얘기가 달라졌다.

무엇보다 짠 육포를 우걱우걱 먹고 난 뒤 배가 아프다며 근처 숲 속으로 들어간 소피아 수녀가 무섭다고 라이에게 근처에 있으라 신신당부한 뒤부터다. 당시 숲 속에서 들려오던 요란한 굉음과 함께 요상한 냄새까지.

그 전까지만 해도 어느 정도 여사제로서의 품위를 지키고 있었다. 하지만 걸쭉하게 뭔가를 배설한 이후부터는 소피아의 행동과 말이 완전히 달라졌다. 마치 다른 사람이 된 것처럼.

안 그래도 피곤해 죽겠는데 소피아 수녀는 툭 하면 다리 아파, 배고파, 목말라…… 지금까지 어떻게 살아왔는지 모르겠지만, 성직자라면서 인내심이라고는 말라비틀어진 쥐꼬리만큼도 없었다.

만약 라이가 아닌 다른 사람이었다면, 소피아의 투정을 당연하다는 듯 받아 줬을지도 모른다. 그만큼 그녀는 아름다웠고, 고귀한 성직자의 신분이었으니까. 하지만 라이는 그 누구보다

삶에 대한 집착이 강한 사람이었다. 문제는 식량도 거의 없는 상태에서 도망을 치다 보니 지금은 배고픔에 지쳐 자칫 아사할 지경이었던 것이다. 그런데 이런 상황에서도 소피아 수녀가 계속 힘들다, 배고프다면서 투정을 부리니 라이의 그녀에 대한 환상이 조금씩 깨져 가고 있었던 것이다.

'우와, 정말 양심도 없네. 어떻게 내 육포의 대부분을 뺏어 먹은 주제에 배고프다는 말이 나와? 그리고 물은……. 물도 자기가 다 마셨잖아.'

아주 미쳐 버릴 지경이었다.

두 사람이 함께 있었던 것이 겨우 하루 정도밖에 되지 않았는데도, 라이가 이런 생각을 할 정도로 소피아의 투정은 심했다. 하지만 이건 그녀의 잘못만은 아니었다. 리치몬드 일행과 헤어지기 전까지만 해도 그녀는 파티의 일원으로서 자신이 맡은 임무를 훌륭하게 완수해 내고 있었으니까.

그녀로 하여금 이 정도 역경에 제대로 대처하지 못하게 만든 건 순전히 그동안 같이했던 파티원들 탓이었다. 신전을 나온 이래, 그녀는 지금까지 아쉬운 것 하나 없이 생활해 왔었다. 자신이 결정하거나 생각한 것도 없다. 그렇기에 오랜 세월 모험을 해 왔지만, 정작 그녀가 알고 있는 지식은 극히 적었다. 그리고 할 줄 아는 일도 거의 없었다.

그 누가 가녀리고 인형처럼 아름다운 수녀에게 감히 일을 시키겠는가. 그저 귀한 보석을 대하듯 아끼고 또 아끼다가 필요할 때 신성마법 한 번 받는 것만으로도 모두들 감사히 여겼다. 그리고 그런 동료들의 태도가 그녀를 뼛속까지 철없는 소녀로 만들어 놨던 것이리라.

그리고 남자라 느껴지지 않는 라이의 모습에 그동안 성직자로서 지켜 왔던 가면이 벗겨진 것이다. 물론 그 결과는 라이로 하여금 여자에 대해 다시 한 번 생각하게 만들 만큼 끔찍한 것이었지만.

'도저히 이렇게는 못살겠어.'

한참 동안을 고민하던 라이는 결국 마음을 굳혔다. 다음 날 아침에 몰래 혼자 떠나기로. 산속에 홀로 남겨진 소피아 수녀가 어떻게 될지 볼 보듯 뻔했지만, 그는 애써 거기까지는 생각하지 않기로 했다. 지금 이 상태로는 수녀보다 자신이 먼저 죽게 생겼으니까.

'그래, 그것만이 내가 살길이야.'

"빨리 걸으시죠, 수녀님. 어제는 그럭저럭 뱃속에 들어온 게 있어서 놈들이 사냥을 나오지 않았는지 몰라도, 오늘은 어떨지 모른단 말입니다."

"알아! 지금 최대한 빨리 걷고 있잖아. 헉헉……."

거친 숨소리, 그리고 얼굴에서 뚝뚝 떨어지는 땀방울만 봐도 그녀의 말이 거짓이 아니라는 것쯤은 금방 알 수 있었다. 그렇기에 라이는 더 이상 소피아를 채근할 수가 없었다.

잠시 후, 소피아가 헐떡거리며 물었다.

"혹시 물 남은 거 없어?"

라이는 짜증 어린 목소리로 대꾸했다.

"수녀님이 다 드셨잖아요."

"아앙, 나 목말라."

"좀 참으십쇼. 서둘러 걸으시면 오늘 저녁때쯤에는 개울가에 도착할 수 있을 테니까요."

어르고 달래며 걸어가고 있긴 했지만 생각보다 별로 속도가 나지는 않았다. 이런 상태로는 내일 아침은 되어야 개울가에 도착할 수 있을 듯했다. 그런데 이때 라이의 눈에 토끼 한 마리가 보였다. 라이는 재빨리 소피아를 쳐다봤다. 다행히 소피아 수녀는 아직 토끼가 있다는 것을 눈치채지 못한 모양이다.

토끼를 발견했다는 걸 라이가 소피아에게 알리지 않은 것은 다 이유가 있었다. 사실 점심때쯤에도 토끼를 한 마리 봤었다. 크고, 통통하고, 맛있어 보이는 토끼를. 라이는 즉시 소피아에게 그 사실을 알렸었다.

"쉿! 저기 토끼가 있어요."

토끼를 잡게 조용히 하라는 뜻으로 알려 줬던 것이다. 하지만 당시 소피아 수녀의 반응은 라이의 예상을 넘어선 것이었다.

"와아! 귀여워!"

지쳐서 더 이상 못 걷겠다며 징징거리던 그녀가 갑자기 토끼를 껴안겠다는 듯 두 팔을 활짝 벌리고 팔짝팔짝 뛰어갈 줄이야 라이가 상상이나 했겠는가. 토끼는 다리야 날 살려라 하면서 도망쳐 버렸고, 라이는 기가 막혀 미칠 지경이 되어 버렸다.

"지, 지금 뭐 하시는 겁니까?"

소피아는 라이가 왜 화가 난 것인지 이해할 수 없다는 듯 눈을 동그랗게 뜨고 반문했다.

"왜···, 왜 그러는 거야?"

"몰라서 물으십니까? 토끼를 잡아야 먹을 수 있을 거 아닙니까. 그런데……."

"저렇게 귀여운 토끼를? 안 돼! 잡지마. 난 그렇게는 못해."

아직 상황 파악이 전혀 안 된 듯 어이없는 대답을 하는 소피아의 말에 도저히 참지 못하고 라이의 짜증이 드디어 폭발했다.

"그러면 배가 고프다는 말씀을 하지 마시던가요!"

라이가 언성을 높인 후에야 소피아 수녀는 눈치를 살피며 조심스럽게 물었다.

"미, 미안해. 나 때문에 화났어?"

소피아 수녀가 눈물을 글썽거리며 애처롭게 말하면 라이로서는 더 이상 할 말이 없었다. 하지만 소피아의 진실 된 모습을 라이는 이미 잘 알고 있었다. 토끼를 잡아서 구워 놓으면 한 조각이라도 더 먹겠다고 군침을 줄줄 흘릴 것이라는 것을.

'에이, 가증스러운 년.'

라이는 욕설을 애써 속으로 삼킬 뿐, 차마 대놓고 말하지는 못했다. 어떻게 저 애처로운 얼굴에 욕을 할 수 있단 말인가. 마왕이나 변태가 아니고서야…….

살그머니 소피아 수녀의 눈치를 살피던 라이는 재빨리 화살통에서 화살을 뽑아 활시위에 걸었다. 시위를 끝까지 당겼다가 놓자, 퓨웅 하는 소리와 함께 날아가는 커다란 화살. 이렇게 큰 화살을 고작 토끼 한 마리 잡겠다고 쏘고 있는 자신의 신세가

처량할 뿐이다.

퍽!

다행히도 화살은 토끼의 머리를 단박에 꿰뚫어 버렸다. 소피아 수녀는 그때까지도 라이가 화살을 왜 쐈는지 그 이유를 모르고 있었다.

"왜 화살을 쏜 거야? 혹시 몬스터라도……."

"아뇨. 수녀님께서 굉장히 귀여워하시는 토끼라는 놈을 잡기 위해서죠."

"어, 어떻게 이렇게 귀여운 애를……."

라이가 죽은 토끼를 들고 오는 것을 보자 눈물이 그렁그렁한 눈으로 바라보던 소피아는 갑자기 두 손을 모아 웅얼거리며 뭔가 기도를 올렸다.

"먹고 살자니 어쩔 수 있습니까. 그런데 수녀님께서는 토끼고기 드셔 본 적 없으십니까?"

"먹어는 봤지만…, 이렇게 죽어 있는 건 본 적이 없어."

소피아는 쪼그리고 앉아 토끼털을 손으로 매만지며 중얼거렸다.

"정말 부드럽다……."

"필요하시면 가죽을 벗겨 드릴까요?"

벗겨 준다는 말에 소피아의 얼굴이 흠칫 굳는다. 그녀는 토끼에게서 재빨리 손을 떼며 뒤로 주춤 물러섰다.

"가죽도 벗기는 거야?"

"아뇨. 통째로 구워 버릴 거예요. 가죽 벗기기도 귀찮은 데다가, 잘 구워 놓으면 맛있으니까요."

아직 해가 지려면 꽤 여유가 있었지만, 라이는 이쯤에서 자리를 잡고 야숙을 하기로 했다. 배가 너무 고팠기 때문이다.

"오늘은 여기서 야숙하기로 하죠."

주변에서 마른 나뭇가지들을 주워다 불을 피울 때도 소피아 수녀는 옆에 쭈그리고 앉아 구경만 했다. 라이는 으레 그렇거니 하며 수녀에게는 일을 시킬 생각조차 하지 않았다.

모닥불이 기세 좋게 타오르기 시작하자, 라이는 토끼를 집어 들었다.

"그거 정말 먹을 거야?"

"당연하죠."

토끼 배를 가르고 내장을 꺼내자 특유의 구린내가 진동을 한다. 옆에서 구경하고 있던 소피아는 코를 막고 재빨리 뒤로 물러서며 고개를 저었다.

"난 안 먹어. 그거 절대로 안 먹을 거야."

고기가 다 구워지면 태도가 바뀔 것을 잘 알고 있는 라이로서는 건성으로 대꾸했다.

"예, 예. 그러시든가요."

'내가 두 번 다시 사제하고 여행을 하면 사람이⋯⋯.'

하지만 부정적인 생각은 그리 오래가지 않았다. 그건 수녀가 걸어 줬던 신성마법이 가져왔던 그 무시무시한 살상력! 아마 그것 때문에 리치몬드가 소피아 수녀를 데리고 다녔던 것이겠지. 적당히 그녀의 비위를 맞춰 주면서⋯⋯.

'맞아. 소피아가 문제였던 거야. 다른 여자…, 아니 남자 사제
는 괜찮겠지.'

더 이상 여자 사제는 꼴도 보기 싫은 라이였다.

토끼를 통째로 기다란 나뭇가지에 꿰어 불 위에 올려 털부터
태웠다. 보드랍던 토끼털이 타오르며 노린내를 풍기던 것도 잠
시, 곧이어 맨들맨들한 토끼 가죽만이 남았다. 라이는 나뭇가지
를 이리저리 돌려 고기가 타지 않고 골고루 익게 만들었다.

귀엽던 토끼가 점차 고깃덩이로 화해 가는 것을 소피아는 불
만 가득한 눈길로 째려보고 있었다. 하지만 얼마 지나지 않아
고소한 냄새가 풍기자 그녀의 표정이 조금씩 변하기 시작했다.
그녀도 외면할 수가 없었던 것이다. 뱃속의 아우성을.

고기 표면에서 기름이 부글부글 끓으며 뚝뚝 떨어지기 시작
했다. 그러면서 고소한 냄새는 더욱 짙게 풍겨 나왔다. 라이는
고기에서 눈을 떼지 않고 타지 않게 계속 나뭇가지를 돌렸다.

이때, 갑자기 뒤에서 소피아의 목소리가 들려왔다. 어느새 그
녀는 라이의 바로 뒤에 와 있었다. 노릇하게 구워지는 토끼 고
기 냄새의 유혹을 참지 못했던 것이리라.

"이제 다 익은 거 아냐?"

"좀 전에 이 고기는 안 드신다고 하지 않으셨나요?"

순간 소피아 수녀의 얼굴이 새빨갛게 달아올랐다. 하지만 그
렇다고 해서 자신의 잘못을 모른 척할 정도로 그녀의 심성이 삐
뚤어진 것은 아니다. 뭐니 뭐니 해도 신을 섬기는 사제였으니
까. 그녀는 솔직히 사과했다.

"그런 말 해서 정말 미안해. 이렇게 맛있게 바뀔 거라고는 생각지도 못했어."

"그러시겠죠."

이 상황에서 소피아 수녀를 질책해 봐야 뭐 하겠나. 라이는 한숨을 푹 내쉬며 자리를 내줬다.

"자, 이쪽으로 앉으세요."

"이제 다 익은 거 아냐?"

"속까지 다 익으려면 조금 더 있어야 합니다."

소피아는 황홀한 듯한 표정으로 냄새를 맡더니 감탄사를 연발했다.

"이렇게 맛있는 냄새가 날 줄이야……. 라이는 요리 솜씨가 정말 대단한 거 같아."

"과찬이십니다. 그냥 내장 꺼내서 구운 것밖에 없는데요."

한참을 더 소피아의 애를 태운 후에야 라이는 고기를 불 밖으로 꺼냈다.

"이제 대충 익은 것 같네요."

라이는 토끼 뒷다리 하나를 뜯어 소피아에게 건네줬다.

"고마워."

생긋 미소 지으며 고기를 덥석 받아 드는 소피아. 겉모습만 봤을 때는 정말 천사 같았다. 라이는 사람의 겉과 속이 이토록 다르다는 것에 신비함마저 느꼈다. 어제까지만 해도 흠모의 대상이었던 아름답던 수녀가 이제는 젠장녀와 민폐녀를 넘어 웬수덩어리로 바뀔 줄이야.

'젠장, 그래도 쓸데가 한 가지는 있네. 눈이 즐겁다는 거. 그래, 많이 드십쇼. 이게 제가 차려 드리는 마지막 식사니까요.'

이번에는 자신이 먹기 위해 토끼의 다른 쪽 다리를 붙잡았을 때였다. 어디선가 머리털이 쭈뼛 설 것만 같은 매서운 파공성이 들려왔다. 라이가 재빨리 고개를 숙이는 찰나, 화살 하나가 그와 소피아 사이를 지나가 나무에 푹 하고 박혔다.

'헉! 언제?'

토끼를 굽는 것에 너무 정신을 판 것을 후회하며 라이는 급히 일어섰다. 허리에 꽂아 둔 도끼를 뽑으려는 순간, 싸늘한 경고성이 들려왔다.

"꼼짝 마!"

갑자기 모습을 드러낸 괴한은 둘. 그중 뒤쪽에 서 있는 사내가 화살을 쏜 것이었다. 궁수는 어느새 새로운 화살의 장전을 끝내 버린 상태. 그 재빠른 속도에 라이는 그의 궁술 실력이 보통이 아니라는 것을 눈치챘다.

더군다나 궁수가 쓰고 있는 가죽투구를 보자 라이의 경계심은 더욱 높아졌다. 용병대 내에서 저런 가죽투구를 쓰고 있었던 건 모라이어스와 같은 레인저들뿐이었다.

레인저들이 강철투구 위에 가죽을 한 겹 덧씌워 놓은 형태의 투구를 애용하는 이유는, 수풀 사이를 통과할 때 나뭇가지가 투구에 부딪쳐도 소리가 거의 나지 않기 때문이었다.

의외의 괴한들, 그런데 산적이라고 보기에는 실력이 너무 뛰어나다.

'도대체 뭐 하는 놈들이지?'

잠시 침묵이 흘렀다. 그리고 그 짧은 시간을 통해 라이는 한 가지 틈을 발견할 수 있었다. 궁수를 너무 믿고 있는 탓인지 앞쪽에 서 있는 중년 사내가 아직 검조차 뽑지 않고 있다는 점을 깨달은 것이다. 검뿐만이 아니다. 투구조차 쓰지 않고 있다.

아마 50은 되고도 남았으리라. 중년 사내의 나이가 많다는 점이 더욱 라이를 고무시켰다. 중년 사내의 순해 보이는 인상 탓에 라이는 그를 은연중에 만만하게 보고 있었던 것이다.

라이는 중년 사내와 자신과의 거리를 가늠했다. 하지만 아쉽게도 거리가 조금 멀었다. 중년 사내 혼자라면 충분히 해치울 수 있겠지만, 궁수까지 상대해야 하는 걸 감안한다면 무리였다. 지금은 항복하는 척하면서 다음 기회를 엿보는 게 나으리라.

생각을 정하자마자 라이는 재빨리 두 손을 위로 치켜들었다. 반항할 생각이 없다는 표시였다.

"저희들은 가진 게 아무것도 없습니다. 어제 동굴을 탐험하다가 놀 떼를 만나 가진 걸 몽땅 다 날려 버렸거든요."

라이의 말에 중년 사내가 빙긋 미소 지었다. 옆집 아저씨처럼 순해 보이는 인상이었지만, 그의 입에서 쏟아져 나온 말투는 신랄하기 그지없었다.

"놀? 그런 삼류 몬스터에 쫓겨 짐을 몽땅 놔두고 도망쳤다고? 그렇게 형편없는 놈으로는 보이지 않는데……."

"한두 마리라면 그렇겠죠. 하지만 우리를 습격한 건 거의 삼백 마리가…."

소피아 수녀가 그 상황에 대해 뭐라고 거들어 줄까 싶어 옆을 힐끗 바라본 라이는 기가 막혀 입을 다물 수가 없었다. 소피아 수녀는 이런 긴박한 상황에서도 모닥불 근처에 퍼질러 앉아 토끼 고기를 뜯기에 여념이 없었던 것이다. 정말 도움이 안 되는 여자였다.

'이런 떠그랄! 저런 년한테 잠시라도 기대를 한 내가 등신이지.'

고개를 돌려 정면을 바라보니 중년 사내의 뒤에 서 있는 궁수와 눈이 마주쳤다. 중년 사내와 달리 궁수의 눈매는 정말 매섭기 짝이 없었다. 쳐다보는 것만으로도 소름이 끼칠 정도로 차가운 눈빛이다. 라이는 자신도 모르게 손을 좀 더 높게 치켜들며 말을 이었다.

"… 넘어 보였습니다."

그런 모습을 본 중년 사내가 피식 웃으며 입을 열었다.

"식사 중에 미안하네만, 우리는 지금 사람을 찾고 있는 중이야. 자네는 우리가 찾는 사람이 아닌 것 같긴 하지만, 그래도 그냥 넘어갈 수는 없는 노릇이라서 말이지. 자네 이름이 뭔가?"

순간 라이의 눈은 번개와 같은 속도로 괴한들의 장비를 훑었다. 가볍고 실용적인 무장. 그리고 그 위를 허름한 군청색 로브로 가리고 있다. 용병들이 즐겨 입는 옷차림이다.

'설마……?'

순간, 용병단에서 자신을 잡기 위해 파견되어 나온 사람들이 아닌가 하는 의심이 덜컥 들었다. 저 중년 사내의 묘한 분위기가 마음에 걸리던 차였는데, 사람을 찾고 있다고 하지 않는가. 게다가 이 깊은 산속에서 말이다.

라이는 가급적 담담하게 대꾸하려 노력하며 입을 열었다.

"제 이름은 올리버 트리스티라고 합니다. 그리고 지금 열심히 토끼 고기를 뜯고 계시는 이분은 겉모습만 봐도 대충 짐작이 가시겠지만, 소피아 수녀님이시구요."

올리버 트리스티라는 말에 중년 사내의 얼굴이 묘하게 일그러졌다.

"신분증은 있겠지?"

살짝 일그러진 중년 사내의 표정이 조금 찜찜하긴 했지만, 이미 엎어진 물이었다. 라이는 품속에 넣어 두었던 신분증을 꺼내 중년 사내에게 던져 줬다.

중년 사내는 신분증을 꼼꼼히 살펴본 다음, 라이를 몇 번이고 쳐다보며 확인하는 듯했다.

"과연, 맞군."

이때, 궁수가 냉막한 목소리로 물었다.

"올리버 트리스티는 지금 어디에 있지?"

가죽투구 사이로 보이는 매서운 눈초리. 그걸 보자마자 라이는 심장이 멎을 만큼 깜짝 놀랐다. 올리버 트리스티의 신분증을 보여줬는데도 그를 찾다니.

'이걸 어떻게 받아들여야 하지?'

상대가 찾는 게 정말 올리버 트리스티인 것인지, 아니면 자신에게 혼란을 주기 위해 일부러 저러는 것인지 분간을 할 수가 없었다. 정보가 너무 부족했다.

"예? 그게 무슨 말씀인지……?"

조금이라도 시간을 끌어 좀 더 정보를 얻어 보려 했지만, 씨알도 먹히지 않았다. 궁수의 가죽투구 사이로 보이는 눈빛에 서서히 짙은 살기가 피어오르고 있었다.

"죽기 싫다면 순순히 실토하는 게 좋을 게다."

리치몬드는 분명히 올리버 트리스티가 모험을 하는 와중에 죽었다고 했다. 아직 리치몬드에 대한 신뢰가 채 가시지 않은 라이로서는 선택의 여지가 없었다. 라이는 짐짓 여유로운 미소를 지으며 말했다.

"거기 신분증에 나와 있지 않습니까. 제가 올리버 트리스티입니다. 오랜 모험 탓에 살이 좀 빠지기는 했습니다만, 틀림없는 사실이죠."

그러자 중년 사내는 가소롭다는 듯 콧방귀를 뀌더니 품속에서 종이 한 장을 꺼내 들었다. 그가 종이를 활짝 펼치자 누군가의 얼굴이 아주 세밀하게 그려져 있는 게 보였다.

'설마 정말로 올리버를 찾고 있는 건가?'

중년 사내는 초상화를 라이가 보기 좋게 펼쳐서 보여 주며 말했다.

"네놈과 별로 닮은 것 같지는 않지? 하지만 본인이 올리버 트리스티라고 주장하니 어쩔 수 없군."

여기까지는 꽤 재미있다는 듯한 말투로 말하던 중년 사내가 갑자기 무시무시한 음성으로 외쳤다.

"네놈을 반역죄로 체포하겠다."

반역죄라는 말에 라이는 정신이 하나도 없었다. 설마 얘기가 이렇게 꼬일 거라고는 전혀 예상조차 하지 못했기에.

"헉! 바, 반역죄라니요……?"

말이 떨어지기 무섭게 중년 사내는 쏜살같이 달려들어 라이를 포박하려 했다. 밧줄을 들고 접근해 오는 찰나의 시간을 활용해 어떻게든 대항할 수도 있었겠지만, 라이는 그러지 못했다. 반역죄라는 말에 정신이 멍해져 아무런 생각도 할 수가 없었던 것이다.

닉이라는 놈을 닮은 초상화, 그리고 반역죄. 지금까지 리치몬드 일행과 함께 움직이며 이상하다고 느꼈던 부분들이 일순간에 이해가 되기 시작했다. 리치몬드와 젠슨이 왜 어리숙한 녀석을 그렇게까지 감싸고 돌았는지를…….

'그랬던 거였어. 그래서 거의 도움이 되지 않는 닉을 동료인 척 함께하고 있었던 거야. 그리고 그 비싼 말을 헐값에 팔아 치운 거나 오크 떼가 있음에도 강행군을 한 것도 다 그런 이유 때문이었군. 빌어먹을, 바보같이 그런 것도 눈치채지 못하다니…….'

지금까지 토끼 고기를 뜯어먹는 데만 정신이 팔려 있어 라이의 속을 뒤집어 놓았던 소피아 수녀. 그녀는 중년 사내가 갑자기 라이를 포박하자 더 이상은 못 본 척할 수 없었는지 끼어들었다.

"그는 올리버 트리스티가 아니에요."

꽁꽁 묶은 라이의 몸에서 무기들을 빼앗아 땅바닥에 던져 버리며 중년 사내가 소피아 수녀에게 물었다.

"그럼 이 사람은 누굽니까?"

새파랗게 젊은 아가씨였지만, 신을 받드는 사제로서 예우를 해 주는 것만 봐도 중년 사내가 막돼먹은 인물이 아님은 확실했다.

"라이라고 하는 아이예요. 성은 없고, 그냥 라이요."

소피아는 라이를 언제 만났고, 어떻게 해서 여기까지 오게 되었는지 자세하게 설명했다. 짐짓 흥미롭다는 듯 경청하던 중년 사내. 하지만 소피아의 말이 끝나자마자 비꼬듯 물었다.

"그 말이 사실이라는 것을 어떻게 믿습니까?"

"제가 섬기는 이레네(Irene)님의 이름을 걸고, 이 모든 게 단 한 치의 거짓도 없다는 것을 맹세하겠어요."

그러면서 소피아는 평화의 여신을 모시는 신전에서 발행한 신분증명서를 꺼내 보여 줬다.

"제가 이레네님을 섬기는 수녀라는 것을 못 믿으시겠다면 신성마법을 시연해 보여 드릴 수도 있어요. 혹시 상처를 입으신 분이 계시나요?"

소피아가 이렇게까지 나오자 중년 사내는 한발 뒤로 물러섰다.

"굳이 그렇게까지 하실 필요는 없습니다. 수녀님의 말씀을 믿습니다. 그래, 리치몬드라는 사람이 일행의 리더였던 모양인데, 그 사람은 지금 어디에 있습니까?"

리치몬드의 얘기가 나오자 소피아 수녀의 안색이 급격히 우울해졌다. 닉은 별로였지만, 리치몬드나 젠슨은 아주 괜찮은 동료였으니까.

"그는 동굴에서 죽었어요."

소피아는 일행들이 왜 동굴로 갔는지를 설명하고, 그들의 최후가 어떠했는지까지 자세히 말해 줬다. 그러자 중년 사내는 자신이 가지고 있던 초상화를 소피아에게 보여 주며 물었다.

"혹시 그 일행들 중에서 이 초상화와 비슷하게 생긴 사람이 있었습니까?"

소피아는 생각할 것도 없다는 듯 곧바로 대답했다.

"닉이네요. 니키 던컨. 그의 아버지가 아주 부유한 상인이라고 하더라고요. 리치몬드 씨의 말로는 이번 모험에 그 사람이 꽤 많은 금액을 투자했다고 했어요. 그리고 감시역으로 붙여 놓은 게 그의 아들 닉이었고요. 저는 리치몬드나 젠슨이 닉을 정중하게 대하는 이유가 그 때문이라고 알고 있었어요."

그제서야 사태의 전말을 이해했는지 중년 사내가 소피아 수녀에게 고개를 조아리며 말했다.

"친절하신 협조에 진심으로 감사드립니다."

"그런데 방금 전에 말씀하신 게 사실인가요? 그가 반역죄를 저질렀다는 게……."

"유감스럽게도 사실입니다. 정확하게 말하자면 반역죄를 저지른 백작가의 장남이지요."

중년 사내는 라이에게로 시선을 돌려 싸늘한 눈빛으로 쳐다

보았다.

"이제 자네와 진지한 대화를 좀 나눠 봐야겠군. 수녀님의 말씀대로라면, 신분증을 산적들에게 강탈당했다고?"

"예, 맞습니다."

"흠, 여신께 맹세까지 하신 수녀님이 거짓말을 하실 리는 없고. 그렇다면 자네가 거짓된 정보를 수녀님께 알려 드렸다는 게 맞겠지. 그, 냥, 라이 군. 자네는 끝을 뾰족하게 갈아 놓은 나무막대 따위로 오크를 찔러 죽인다는 게 가능하다고 생각하나?"

쉽지 않은 일이겠지만, 자신이 했었던 일이었기에 라이는 당당하게 대답했다. 사실 그는 아직까지도 자신이 오크를 나무창으로 찔러 죽였다고 굳게 믿고 있었으니까.

"가능하던데요."

순간 중년 사내의 눈썹이 꿈틀거리긴 했지만, 그는 참을성 있게 계속 질문을 던졌다. 물론 약간 비꼬는 듯한 어투로 말이다.

"산적 따위에게 전 재산을 몽땅 털릴 정도의 애송이 보따리 상인이 활과 도끼로 오크 십여 마리를 순식간에 도륙했다고? 그리고 오크가 어디에 매복하고 있건 아주 족집게처럼 척척 찾아내고 말씀이야."

역시 중년 사내는 허투루 나이를 먹지 않았다는 것을 증명이라도 하듯, 라이의 말속에서 빈틈을 매섭게 찔러 들어왔다. 절대 어설프게 상대해서는 안 될 닳고 닳은 사내였던 것이다. 라이는 어색한 미소를 지으며 대답했다.

"오크만 잘 찾아내는 겁니다. 오크만요. 녀석들의 지독한 악취를 제 코가 확실히 기억하고 있거든요.”

하지만 중년 사내는 손가락을 좌우로 가볍게 흔들며 라이의 말을 부정했다.

“그게 아니지. 그것보다는 네놈이 트리스티 백작이 아들을 보호하기 위해 붙여 놓은 비밀 경호원이라고 보는 게 옳겠지.”

라이는 순간 현재 자신의 상황이 아주 웃기게 되어 버렸다는 것을 깨달았다. 리치몬드에게 속아 반역도 놈들에게 이용당한 것만 해도 억울한데, 하지도 않은 죄까지 뒤집어쓰게 생긴 것이다.

탈주 노예와 반역죄 중 어느 쪽이 죄질이 가벼울까? 그건 생각해 보나 마나였다.

“잠깐만요! 모든 걸 실토하겠습니다.”

중년 사내는 그럴 줄 알았다는 듯 씨익 미소 지으며 말했다.

“조금이라도 거짓이 있어서는 안 돼. 그랬다간……”

“사실 저는 붉은 전갈 용병단에서 탈출한 도망병입니다.”

라이의 말이 이해가 되지 않는지 중년 사내는 고개를 갸웃거렸다. 원래 용병이라는 게 돈 받고 싸우는 존재들인 만큼, 자기가 하기 싫다면 그만두는 것도 얼마든지 가능한 일이었다. 그런데 용병단에서 탈출을 했고, 그래서 도망병이라니? 정규군도 아닌 용병인 주제에 도망병이라는 말이 전혀 이해가 되지 않던 것이다.

이때, 뒤에 서 있던 궁수가 중년 사내에게로 살짝 다가와 속삭였다.

"붉은 전갈 용병단은 노예병을 주력으로 사용한다고 들은 적이 있습니다."

그 모습을 보고 라이는 중년 사내와 궁수와의 상하관계를 파악할 수 있었다. 중년 사내가 궁수보다 훨씬 윗사람이었던 것이다. 어쨌거나 중년 사내는 그제서야 라이의 말을 이해한 모양이다. 갑자기 콧방귀를 뀌며 이죽거리는 목소리로 물었다.

"흠, 용병이 도망을 쳤다기에 무슨 소리인가 했더니, 너 노예였냐?"

라이는 고개를 푹 숙이며 힘없는 어조로 대답했다.

"예."

"이제야 이해가 되는군. 네놈이 왜 굳이 다른 사람의 신분증을 이용하려고 했는지를 말이야."

라이는 재빨리 무릎으로 바바박 기어가 중년 사내 앞에 꿇어엎드리며 애원했다. 그가 낼 수 있는 최대한 애처로운 목소리로.

"나으리, 제발 살려 주십쇼. 도망친 노예가 붙잡히면 어떤 꼴을 당하게 되는지 잘 아시잖습니까? 그러니 제발 모른 척 눈감아 주시면 안 될까요? 제 억양을 들어 보시면 아시겠지만, 저는 이 나라 사람이 아닙니다요. 저 북쪽의 작은 왕국에서 노예상인들에게 억지로 납치당해 끌려왔습지요. 고향의 다 쓰러져 가는 낡은 집에는 늙으신 어머니와 아직 어린 동생들이 제가 돌아오기만을 손꼽아 기다리고 있을 겁니다. 그러니 제발 도와주십쇼, 나으리."

라이가 평소 하지 않던 짓을 한 이유는 중년 사내의 선해 보이는 인상 때문이었다. 그리고 얘기를 하면서 슬쩍 중년 사내의 눈치를 살피니 자신의 거짓말이 제법 먹혀들어 가는 것 같기도 했다.

희망이 보이는 듯하자 라이는 자신이 겪었던 노예생활을 최대한 불쌍하게 포장하여 주저리주저리 말하기 시작했다. 그런데 말을 하다 보니 자신의 신세가 너무 기구하고 서글퍼져 두 눈에서 하염없이 눈물까지 흘리게 되었다.

아마도 그게 주효했던 것 같다. 말을 듣던 중년 사내의 싸늘한 눈빛이 많이 누그러진 듯했으니 말이다.

'역시 가족을 들먹이고, 인정에 호소하는 게 제일 잘 먹히는구나. 노예상인들과 같은 인간쓰레기들에게는 씨알도 안 먹히겠지만, 저런 순둥이한테는 직방이지.'

라이는 초조한 마음으로 중년 사내의 입에서 '그간 고생이 많았겠구나. 그래, 빨리 고향에 가 보거라' 하는 말이 튀어나오길 애타게 기다렸다. 하지만 이상하게도 중년 사내는 뭔가 골똘히 궁리만 하고 있을 뿐, 아무런 말을 하지 않았다.

기나긴 기다림의 시간이(실제로는 얼마 지나지도 않았다) 지난 후, 드디어 중년 사내의 무겁게 닫혀 있던 입이 열렸다.

"수녀님께서는 이만 돌아가셔도 됩니다."

'엥? 그럼 나는?'

중년 사내는 라이에게로 시선을 돌리며 말을 이었다.

"너는 그 동굴로 우리를 안내해라. 올리버라는 놈만 잡으면

네 녀석을 풀어 주마.”

그 순간 하마터면 라이는 큰 소리로 만세라도 부를 뻔했다. 당장은 아니지만 자신을 풀어 주겠다는 언질을 받게 되었으니 말이다.

‘흐흐흣, 겨우 살았다. 역시 내 눈썰미가 보통이 아니라니깐. 마음이 약해 보여 슬쩍 감성을 건드려 줬더니, 이렇게 일이 잘 풀릴 줄이야…….’

중년 사내는 뒤에 서 있는 궁수에게 시선을 돌려 지시를 내렸다.

“샘, 저 녀석 포박을 풀어 줘.”

궁수의 이름이 샘이었던 모양이다. 샘은 중년 사내의 지시를 받자마자 라이에게 다가와 단단히 묶여 있던 포박을 풀어 줬다. 라이는 얼른 공손한 표정으로 고개를 숙이며 중년 사내에게 질문을 던졌다. 지금은 감성에 휘둘려 이런 결정을 내렸겠지만, 나중에 어떻게 바뀔지 모르니 풀어 준다는 말에 쇄기를 박으려는 의도였다.

“저…, 어르신. 송구스럽습니다만, 올리버인지 뭔지 하는 놈만 잡게 되면 절 풀어 주신다는 말씀, 정말이시죠?”

“허, 이놈이 속고만 살았나. 내가 하찮은 네놈 따위를 붙잡아서 어디다 써먹을 데가 있겠냐? 허긴 도망쳤다는 용병단에 넘기면 술값 정도는 벌 수 있을지도 모르겠군.”

자신의 몸값이 무려 금화 150개라는 걸 중년 사내가 눈치채면 끝이었다. 그렇다면 절대로 자신을 풀어 줄 리 없을 테니까.

그렇기에 라이는 정색을 하며 중년 사내에게 말했다.

"술값조차도 받아 내기 힘드실 걸요. 도망 노예가 잡히면 어떻게 되는지 잘 아시지 않습니까. 본때를 보이기 위해 장대 높이 목을 매달아 모두가 보도록 전시해 놓죠. 비바람에 썩어 목이 떨어질 때까지 말입니다. 안 그래도 죽여 버릴 노예, 잡아가 봐야 몇푼이나 주겠습니까?"

"그건 그렇군. 어쨌거나 내일 아침 일찍 출발할 테니, 일단은 푹 쉬고 있도록 하게."

중년 사내는 땅바닥에 떨어져 있는 라이의 무기들을 손가락으로 가리키며 말했다.

"네놈 장비들은 네놈이 잘 챙겨라. 비무장으로 가기에는 험악한 곳이니 말이야."

확실히 이건 생각지도 못했던 말이었다. 라이는 너무 기뻐 환호성이라도 지를 뻔했다. 손을 묶인 뒤 그 동굴까지 질질 끌려갈 거라고 생각하고 있었으니 말이다. 그런데 묶이기는커녕, 지니고 있던 무기까지 다 돌려받을 줄이야.

'기회를 봐서 저 둘을 해치워 버리고 도망칠까?'

하지만 아무리 생각해 봐도 그건 너무 위험했다. 그동안 라이가 겪은 바로는 세상에는 겉모습만으로는 판단할 수 없는 숨겨진 실력자들도 있었기 때문이다. 올란도만 봐도 그렇지 않았던가. 허구한 날 술만 마시며 놈팽이처럼 굴더니, 실제로는 눈이 휘둥그레질 정도로 엄청난 실력자였다.

게다가 며칠 뒤면 풀어 준다고 하는데 굳이 위험을 자초할 필요가 없는 것이다.

'만사에 조심, 또 조심하는 것만이 내가 살길이지.'

중년 사내는 벌써부터 잠을 자려는 것인지 모닥불 근처에 자리를 잡고 있었다. 그리고 샘이라는 궁수는 어디론가 사라져서 보이지 않았다. 아마 주변을 둘러보러 간 모양이다.

그 모습에 라이는 자신의 판단이 옳았음을 깨달았다. 아무리 자신이 어려 보인다고 해도 용병단 출신의 노예병이다. 그런데도 저렇게 거리낌 없이 행동한다는 것은 그만큼 믿는 구석이 있다는 말일 테니까.

라이도 슬그머니 모닥불 옆에 몸을 눕혔다. 온몸이 노곤했다. 그리고 보니 요 며칠 동안은 참으로 복잡하기 짝이 없는 하루하루를 보냈던 것 같다. 게다가 어제는 경계를 하느라 밤까지 꼴딱 새워야 했지 않은가. 설상가상으로 방금 전에는 중년 사내를 만나 간이 쪼그라들 정도로 놀라기까지 했고 말이다.

며칠 후 풀어 주겠다는 언약을 받고 나니 긴장이 풀린 탓인지 피곤이 더욱 몰려왔다. 자신도 모르게 커다랗게 하품을 하던 라이의 눈에 땅바닥에 떨어진 뼈다귀 하나가 들어왔다. 그건 소피아 수녀가 먹다 버린 뼈다귀였는데, 아직 살점이 제법 많이 남은 것처럼 보였다.

'젠장, 개고생해서 구웠건만 난 한 입도 제대로 먹지 못했는데. 에고, 배고파라.'

라이는 눈을 질끈 감고 애써 잠을 청하려고 했다. 하지만 도통 잠이 오지 않았다. 방금 전까지만 해도 피곤해서 쓰러질 것만 같았는데, 땅바닥에 버려진 뼈다귀에 붙어 있는 살점을 보고 나자 배가 고파 미칠 것만 같았다.

라이는 살그머니 눈을 뜬 뒤 뼈다귀의 상태를 살폈다. 비록 소피아 수녀가 먹다 버린 거고 흙이 묻어 있긴 하지만 도저히 뼈다귀에서 눈을 뗄 수 없었다.

땅에 떨어진 걸 주워 먹다 다른 사람에게 들키면 정말 부끄러운 일이겠지만, 워낙 배가 고프다 보니 이런저런 것을 따질 상황이 아니다.

라이는 슬쩍 중년 사내 쪽으로 시선을 돌렸다. 중년 사내는 이미 잠이 깊이 든 듯 나직하게 코까지 골며 자고 있었다. 이번에는 소피아 쪽으로 고개를 돌렸다. 소피아 역시 배부르게 고기를 먹었는지 편안한 표정으로 눈을 감고 있었다. 주위를 조심스럽게 둘러봤지만 샘이라는 사내는 아직까지 돌아오지 않고 있었다. 아마 주변을 샅샅이 살펴보고 있는 모양이다.

라이는 누가 볼세라 잽싸게 손을 뻗어 뼈다귀를 움켜잡았다. 그리고는 품에 껴안듯 가슴 쪽으로 가져와 대충 흙을 털어 낸 뒤 입 안에 밀어 넣었다. 미처 못 털어 낸 흙 때문에 입 안이 버석거리기는 했지만, 뼈에 붙은 작은 살점들은 너무나도 맛있었다.

'이렇게라도 먹어야 살 수 있다. 빌어먹을⋯⋯.'

살점을 다 먹은 뒤 뼈까지 쪽쪽 빨아먹던 라이는 자신도 모르게 어느새 잠에 빠져 버리고 말았다.

도망자에서 추격자로

32

불완전한 각성

"이봐, 일어나."

낯선 목소리에 라이는 자신도 모르게 몸을 벌떡 일으켰다.

"누, 누구……?"

잠시 멍했지만, 곧이어 어젯밤의 일이 떠올랐다. 라이는 크게 기지개를 켠 후 자리에서 일어섰다. 로브자락에 의지해서, 그것도 갑옷까지 입은 채 잠을 잤을 뿐인데도 이렇게 몸이 개운하다니…….

가벼운 스트레칭으로 몸을 풀어 준 다음, 잠잘 때 옆에 놔뒀던 도끼와 단검을 주워 들기 위해 허리를 굽혔다. 이때 그의 눈에 들어온 앙상한 토끼 뼈다귀.

'헉.'

라이는 재빨리 주변을 둘러봤다. 다행히 아무도 자신에게 눈길을 주는 사람은 없었다. 하지만 라이의 얼굴은 부끄러움에 벌겋게 달아올랐다. 개새끼도 아닌데 땅바닥에 떨어진 뼈다귀를 맨들맨들해질 정도로 훑어 먹었으니 말이다.

하지만 곧 그는 생각을 바꾸었다. 오크 소굴에 갇혀 살 때는 이보다 더한 것도 먹고 살았었다. 환경이 좀 바뀌었다고 해서,

뼈다귀 주워 먹은 걸 부끄러워하다니.

'제깟 것들이 날 어떻게 생각하건 그게 무슨 상관이야? 이렇게라도 살아남는 게 중요하지.'

생각은 그렇게 하면서도 라이는 은근슬쩍 토끼 뼈를 발로 툭 걷어차 모닥불로 밀어 넣었다. 라이가 고개를 돌려 보니 중년 사내가 소피아 수녀에게 말하는 모습이 보였다.

"그럼 저희들은 이만 가 보겠습니다. 반역도 수색 작전에 협조해 주셔서 진심으로 감사드립니다. 참, 노파심에 드리는 말인데, 이번 일에 대해서는 반드시 함구해 주셨으면 합니다."

그러자 소피아 수녀의 얼굴이 낭패감으로 살짝 일그러졌다.

"설마 이 깊은 산중에 연약한 여자만 놔두고 그냥 가시겠다는 건가요?"

"어쩔 수가 없습니다. 마음 같아서는 근처 마을까지 모셔다 드리고 싶지만, 반역도를 잡아야 하는 중요한 임무를 수행하고 있다 보니……."

"아무리 그래도 그렇지, 이건 나보고 그냥 죽으라는 말과 똑같은 거잖아요."

당황스런 표정으로 눈물을 흘리는 소피아를 바라보는 중년 사내의 얼굴에 곤혹스러움이 짙게 깔렸다. 아무리 능력 없는 신관이라고 해도, 자신이 가진 능력을 발휘하기만 한다면 웬만한 병사보다 백배 낫다는 것을 잘 알기 때문이다.

그런데 고작 이삼일 거리만 가면 마을이 나오는데, 그걸 못하겠다며 자길 죽이려고 하는 게 아니냐고 원망을 하다니.

"지금 농담하시는 거죠?"

"흑흑, 농담 아니거든요."

옆에서 듣고 있던 라이는 흥미진진한 표정으로 두 사람을 바라봤다.

'흠. 소피아 수녀가 눈물까지 흘리고 있는데, 과연 저 늙은이는 어떻게 반응할까?'

닳고 닳은 중년 사내가 소피아에게 쉽게 휘둘릴 것 같지는 않았다. 하지만 아무리 그렇다 해도 상대가 워낙에 미녀인지라 중년 사내의 대응이 궁금하긴 했다. 아무리 나이를 많이 먹었다 해도 남자가 미녀에게 약한 건 불변의 진리였으니까.

하지만 중년 사내의 반응은 라이의 상상밖이었다. 그는 어이가 없다는 표정으로 입을 열었다.

"수녀님 혼자 마을로 돌아가는 게 너무 힘들다고 눈물을 흘리는 걸 저보고 지금 믿으라는 겁니까? 우리들과 같이 동행하고 싶다는 건 알겠지만, 아무리 그래도 그렇지. 그런 치졸한 이유를 대시는 건 너무 심하지 않습니까. 제가 바보도 아니고."

중년 사내의 짜증스런 말투에 일순 소피아 수녀의 두 눈이 휘둥그레졌다. 지금껏 그 누구도 자신에게 이런 식으로 말을 한 사람이 없었으니까.

"정말인데요. 그리고 저에게 그런 능력도 없지만, 설사 있다 하더라도 어떻게 연약한 여자에게 혼자 마을로 돌아가라 말씀하실 수 있으시죠?"

이런 소피아의 말에 중년 사내는 당황한 표정으로 잠시 고민을 하는 듯하더니 이윽고 길게 한숨을 내쉬며 입을 열었다. 솔직히 그들로서도 사제가 함께 있으면 득이 되면 됐지, 해가 될 건 전혀 없었으니까.

"그렇게까지 말씀하시니 어쩔 수 없군요. 그럼 저희와 함께 가시죠."

혹시 반역도를 잡지 못할까 염려해서인지, 중년 사내는 일행을 독려하며 빠른 속도로 이동하기 시작했다. 험한 산길을 가로질러 가는 만큼 연약한 여자인 소피아로서는 당연히 견디기 힘든 강행군이었다.

라이가 놀란 것은 이미 몇 번이고 다리가 아프다며 징징거려야 할 소피아가 이를 악물고 따라오고 있다는 점이었다. 처음에는 좀 버틸 만한가 보다 라고 생각했지만, 얼굴이 새하얗게 탈색될 정도로 지쳤음에는 그녀는 단 한 마디도 불평불만을 늘어놓지 않았다. 걸음을 옮길 때마다 부들부들 떨리는 다리만 봐도 그녀가 얼마나 힘들게 따라오고 있는지를 금방 눈치챌 수 있었다.

하지만 그런 그녀를 바라보는 라이의 눈빛은 애잔함 따위가 아닌 가증스러운 것을 보는 것처럼 싸늘하기만 했다.

'하, 정말 기가 막히는군. 나랑 단둘이 있을 때는 30분도 채 걷지 않았는데 다리가 아프다며 징징거리더니, 지금은 내가 언제 그랬냐는 듯 잘 참고 있잖아? 정말 여우가 따로 없구만. 가만, 결론은 그만큼 날 만만하게 본 건가?'

라이가 걸어가면서도 소피아를 자꾸 쳐다보자, 중년 사내 역시 무슨 일인가 하여 그녀를 바라봤다. 그런데 그의 얼굴에 일순 의아하다는 기색이 역력하게 떠올랐다.

"다리가…, 많이 아프신 것 같군요."

"예, 좀 힘드네요."

중년 사내는 잠시 걸음을 멈춘 뒤 답답하다는 듯 길게 한숨을 내쉬며 입을 열었다.

"그렇게 힘드시다면서 왜 자기 자신에게 신성마법을 걸지 않으시는 겁니까?"

그러자 소피아는 의아하다는 표정으로 대답했다.

"제가 제 자신에게 신성마법을 쓰게 되면, 위급할 때 동료들에게 신성마법을 써 줄 수가 없잖아요. 파티원들이 눈앞에서 전멸당하는 걸 보고 싶지 않다면, 신성력을 허투루 쓰지 말라고 배웠어요. 그게 잘못되었다는 거예요?"

신성력이라는 게 무한한 게 아니다 보니 그런 조언을 들었었던 모양이다. 소중한 신성력을 전투능력이라고는 쥐뿔도 없는 자신에게 쓸 게 아니라, 능력 있는 파티원을 위해 쓰는 게 훨씬 효율적이라고 말이다.

"누가 그렇게 가르쳐 주던가요?"

"처음 파티를 맺었었던 사람들이요."

중년 사내는 마치 어린아이를 보는 듯한 눈빛으로 소피아를 쳐다보며 말했다.

"그건 말도 안 되는 헛소리입니다. 물론 위급할 때 신성력을 어떻게 쓰느냐에 따라 파티의 생사가 갈리는 건 사실입니다. 하지만 평소에 그런 식으로 신성력을 관리하시면 수녀님에게 아무런 발전이 없다는 게 문제죠."

"발전… 이요?"

자신이 지금까지 가져왔던 관념에 반대되는 얘기가 나왔을 때는 보통 거부반응을 보이는 게 일반적이다. 하지만 소피아는 부정적인 반응을 보이지 않고, 호기심에 찬 눈빛으로 중년 사내의 말에 귀를 기울였다.

"우물물은 퍼내면 퍼낼수록 더욱 깨끗해지죠. 신성력이 소중하긴 합니다만, 끊임없이 써 줘야 맑고 깨끗한 신성력이 몸에 가득 차게 됩니다. 그리고 무엇보다 주문이나 몸짓도 평소에 계속 반복 숙달해 둬야 위급할 때 실수 없이 행할 수 있을 게 아닙니까. 이제 수녀님의 문제점을 아시겠습니까?"

"하지만 평상시에 신성력을 그렇게 낭비했다가, 정말 위급할 때 쓸 신성력이 조금밖에 남아 있지 않다면 어떻게 해요?"

"그렇기에 자신이 쓸 수 있는 신성력의 한계가 얼마인지 정확히 알고 있어야 합니다. 그리고 만약 동료의 상처가 깊다면 신성력이 허용하는 한도 내에서 치료를 해 준 다음, 소모된 신성력이 회복되면 그때 깨끗하게 완치시켜 주면 될 거 아닙니까."

중년 사내의 말이 일리가 있다고 생각했는지 소피아는 반론을 말하기보다 조용히 고개를 끄덕였다.

"만약 수녀님이 평소에 자기 자신의 수련에 부단한 노력을 했다면, 이런 산길 며칠 정도 걷는 것 따위는 식은 스프 마시는 것보다 쉬웠을 테죠. 하지만 그러지 못했기에 지금의 모습이신 겁니다. 현재의 자신에게 만족하여 안주하신다면, 죄송하지만 생을 마치는 그 순간까지 쓰레기 같은 파티원들의 뒤치다꺼리나 하면서 사셔야 할 겁니다."

중년 사내의 냉정할 정도로 단호한 말투에 소피아는 입술을 꽉 깨물었다. 반박하고 싶었지만 그러지 못했다. 생각해 보니 지금껏 그렇게 안이하게 살아왔었으니까.

잠시 고심하던 소피아는 곧이어 자신을 향해 마법을 걸기 시작했다. 예의 그 아름다운 주문과 몸동작, 당신을 섬기는 종에게 자그마한 은총을 허락해 주십사 하는 경배와 찬양이었다. 순간 희뿌연 빛이 소피아의 온몸을 감싸며 스며들었다.

"이젠 됐어요."

"잘했습니다. 앞으로도 아침에 출발하기 전에는 꼭 그렇게 하십시오. 다른 사람에게 도움이 되지는 못할망정 짐은 되지 말아야죠."

중년 사내는 일행을 둘러보며 말했다.

"자, 다시 출발! 이곳에서 시간을 쓸데없이 많이 지체했으니, 좀 더 속도를 내도록 합시다."

잠시 후, 라이는 신성마법의 효능에 내심 놀라움을 감추지 못했다. 대화를 나누느라 시간이 지체된 만큼, 일행의 이동 속도는 엄청나게 빨라졌다.

출발한 지 2시간쯤 지나자 용병생활을 하면서 단련된 라이조차도 힘겨워 다리가 부들부들 떨릴 정도였다. 그런데 출발하기 전까지만 해도 한 걸음 내딛는 것조차 힘들어 헐떡거리던 소피아가 지금은 아주 기운차게 걷고 있었다. 아니, 라이의 눈에는 펄쩍펄쩍 뛰어다니는 것처럼 보였다. 그러니 놀랄 수밖에.

'이래서 모험가 파티에 사제를 꼭 포함시키는 모양이야. 정말 대단하긴 대단하네.'

동굴에서 탈출한 후, 소피아와 함께 근 이틀에 걸쳐 이동했던 길을, 거의 반나절만에 되돌아왔을 정도의 강행군이었다. 길을 걸어가면서 중년 사내와 샘이라는 궁수가 서로 주고받는 대화를 주의 깊게 엿들었지만, 아무리 해도 그들의 정체를 알 수가 없었다. 단지 알 수 있었던 것은 샘이 중년 사내를 '대장'이라고 부르는 정도였다.

소피아야 스스로에게 신성마법을 썼으니 땀 한 방울 흘리지 않는 게 당연했지만, 뒤를 따라가는 라이는 죽을힘을 다해서 견뎌야 했다. 그런데 그런 라이의 강인한 체력에 중년 사내가 관심을 드러냈다.

중년 사내는 문득 생각났다는 듯 라이에게 질문을 던졌다.

"체력이 아주 좋군. 수녀님 말씀으로는 도끼를 제법 잘 다룬다던데…, 몇 급이었나?"

"6급이었습니다."

오크 십여 마리를 순식간에 쳐 죽였다는 소피아 수녀의 증언을 생각한다면 등급이 꽤 낮은 거라고 봐야 했다. 중년 사내는 내심 4급 정도는 될 거라고 짐작했던 것이다. 하지만 그런 내색은 전혀 하지 않고, 은근슬쩍 칭찬을 해 주었다.

"아직 어린 나이에 벌써 6급인 걸 보면, 그런대로 괜찮은 재능이군. 열심히 노력해 봐라. 잘만 하면 중대장까지는 충분할 것 같으니 말이야."

"그건 나으리께서 저를 자유롭게 풀어 주셨을 때 얘기죠. 붉은 전갈 용병단으로 되돌아간다면 교수대에 목이 매달리기밖에 더하겠습니까. 제발 인정을 좀 베푸시죠, 나으리. 고향 집에……."

"어허, 그건 어제 네놈이 이미 말했잖느냐. 홀로 된 어머니와 동생들이 있다고 말이야. 그래, 집 떠난 지는 얼마나 됐지?"

순간, 라이의 말문이 턱하니 막혔다. 기간을 길게 잡아도 문제고, 짧게 잡아도 문제라는 것을 깨달았던 것이다. 길게 잡는다면 그동안 홀로 된 어머니와 동생들이 살아남아 있을 가능성이 거의 없다. 하지만 짧게 잡으면, 자신이 보여 줬던 실력이 말이 안되는 것이다. 용병단에서 습득한 게 아니라는 말이 되니까. 그렇다면 홀로 남았다는 어머니가 힘없는 늙은이가 아닌 도끼술의 고수라는 소리밖에 더 되겠는가.

라이가 섣불리 대답을 못하고 머뭇거리고 있자 중년 사내는 호쾌하게 웃음을 터뜨리며 말했다.

"크하핫, 언제 집을 떠났는지 기억조차 하기 힘들 정도로 까마득한 옛일이더냐? 뭐, 네놈이 언제 집을 떠났는지 내가 알 바는 아니지. 어쨌거나 내가 어제 했던 약속은 유효하다. 반역자를 잡거나, 아니면 놈의 시체라도 찾는 데 도움이 된다면 언제든 풀어 주마. 하지만 만약 거짓을 말했거나, 전혀 도움이 되지 않는다고 판단될 때는 가차없이 네놈이 탈출했다는 그 용병단에 넘겨 버릴 테다.”

“예예, 당연히 제가 도움이 되어야죠. 아, 저쪽입니다. 이제 조금만 더 가시면 동굴 입구가 보일 겁니다.”

만만해 보이던 첫인상과는 달리 중년 사내가 자신을 손바닥 위에 놓고 가지고 논다는 기분이 들어 약간 언짢기는 했지만 그래도 화는 나지 않았다. 어쨌거나 그리 오래 볼 얼굴은 아니었으니까.

이제 얼마 남지 않은 것이다. 동굴 속에 들어가 그들의 시체를 보여 주기만 하면 자신은 자유의 몸이 된다. 그것만 생각하면 없던 힘도 불끈 솟아오르는 라이였다.

“저 동굴입니다. 겉은 저래 보여도, 속은 아주 넓고 깊습니다. 시체를 확인하시려면 꽤 깊게 들어가셔야……”

라이는 말을 하며 중년 사내를 슬쩍 돌아봤다. 마음 같아서는 지금 당장이라도 동굴 안으로 들어가 시체를 확인시켜 주고 싶었지만, 수백 마리의 놀 떼가 와글거리며 모여 있는 걸 뻔히 아는데 그럴 수는 없는 노릇이다. 그걸 감안한다면 이렇게 동굴 가까이에 있는 것조차 위험했다.

따라서 리치몬드가 했던 것처럼 동굴에서 멀찌감치 떨어진 곳에서 야숙을 하는 게 안전했다. 그렇게 충분히 휴식을 취하며 준비를 철저히 한 후, 내일 아침에 들어가는 게 가장 좋은 방법이었다.

하지만 중년 사내는 전혀 그럴 생각이 없는 듯했다. 동굴을 향해 계속 걸음을 옮기고 있는 것을 보면.

마침내 동굴 입구에 도착하자마자 중년 사내는 샘과 라이에게 명령을 내렸다.

"이 주위를 샅샅이 뒤져라. 분명히 어딘가에 흔적을 남겼을 게다."

그 말이 떨어지기 무섭게 샘은 동굴 왼쪽을 중심으로 수색했고, 중년 사내는 오른쪽 방향을 살펴보기 시작했다. 그런데 두 사람 모두 동굴 안으로는 들어갈 생각조차 안 하고 동굴 밖만 살펴보는 것이었다. 그렇다면 결국 동굴 안에서 밖으로 나온 흔적을 찾고 있다는 말인데…….

라이는 그런 모습을 도저히 이해할 수 없었기에 의문을 참지 못하고 중년 사내에게 물었다.

"설마…, 그들이 아직 죽지 않았다고 생각하고 계신 겁니까?"

그러자 중년 사내는 당연하다는 듯 무심한 말투로 대답했다.

"뻔한 거 아니겠냐. 놀 때가 무섭다고는 하지만, 동굴 안에 놀이 서식하고 있다는 걸 미리 알고만 있다면 대처하는 게 그리 어려운 게 아니거든. 한 번 기억을 잘 떠올려 봐. 당시 그놈들이 입고 있던 갑옷을 말이야. 빈틈 하나 없이 아주 정밀하게 이음매가 만들어져 있지 않던가?"

남의 갑옷을 구석진 곳까지 자세히 살펴보는 건 아주 큰 실례였다. 상대방을 기습하려는 의도가 없다면 그렇게까지 남의 갑옷을 자세히 살펴볼 필요가 없기 때문이다.

어쨌든 라이는 중년 사내의 말에 애써 기억을 더듬어 보았다. 닉은 언제나 로브로 온몸을 감싸고 있었기에 파악이 불가능했었고, 리치몬드나 젠슨의 경우에는 마치 보란 듯 갑옷을 드러내 놓고 있었기에 대충이나마 살펴보는 게 가능했었다. 그때의 기억을 잠시 떠올려 보던 라이는 곧 중년 사내의 말에 공감했다.

"그러고 보니 그런 갑옷을 입고 있었던 것 같네요."

"놀의 이빨이 날카롭다고는 하지만, 송곳처럼 가느다란 건 아냐. 물론 가죽갑옷만 입고 있다면 위험할지 몰라도, 사슬갑옷 정도만 되어도 놀의 이빨이 뚫고 들어올 수 없다는 말이지. 갑옷만 빈틈없이 잘 갖춰 입고 있다면, 놀의 숫자가 아무리 많다고 해도 두려워할 필요가 전혀 없어."

소피아에게서 그들이 입고 있는 갑옷이 어떤 것이었는지 이미 파악한 후였기에 내린 결론이었으리라. 하지만 그렇다고 해도 라이는 선뜻 납득할 수가 없었다.

"하, 하지만…, 놀에게는 독도 있는데……."

"물론 있지. 그런데 놀의 독은 그렇게 강하지도 않을뿐더러, 그 효력이 늦게 나타난다는 특성이 있어. 그렇다면 설혹 재수가 없어서 놀의 이빨에 깨물려 독에 중독됐다고 해도 그 자리를 벗어난 뒤 천천히 대처해도 늦지 않다는 말일세."

"그, 그럴 수가……."

중년 사내는 동굴 주위를 천천히 둘러보며 비웃듯 말했다.

"하지만 갑옷을 그렇게까지 갖춰 입게 되면 무게가 급증하게 되지. 그리고 무게가 무거우면 무거울수록 흔적 역시 깊게 남길 수밖에 없고 말이야. 동굴 입구 쪽이야 놈들이 자신들의 흔적을 깨끗하게 지워 놓을 수 있겠지만, 제까짓 놈들이 언제까지 그럴 수가 있겠나. 그러니 조만간에 놈들의 발자국을 찾아낼 수 있을 게야. 아주 깊게 파여진 발자국들을……."

중년 사내는 호언장담했지만, 세 시간 동안 동굴 주변을 샅샅이 뒤졌음에도 불구하고 리치몬드 일행의 흔적을 찾아내는 데는 실패했다.

"이럴 리가 없는데……. 설마 놈들이 정말로 동굴 속에서 놈에게 죽었단 말인가? 젠장! 놈들이 아주 견실하게 갑옷을 차려입었다는 수녀님의 말에 놈들이 잔꾀를 부린 거라 생각했었는데……."

그 순간, 라이의 뇌리 속을 번쩍 하며 스쳐 지나가는 게 있었다. 용병은 망토 같은 걸 좋아하지 않는다. 왜냐하면 자신의 방어 상태를 상대편이 파악하기 쉽기 때문이다. 허접하다는 용병조차 그런데, 하물며 도망자라는 것들이 보라는 듯 갑옷을 드러내고 다녔다는 게 이상하지 않은가. 정규군들처럼 폼 잡기 좋아하는 것들이나 애용하는 망토를 보란 듯이 두르고…….

어쩌면 이게 함정일 수도 있다는 생각이 문득 들었다. 만약 그들이 두터운 갑옷을 드러낸 게 일부러 그런 것이라면?

라이는 다급히 중년 사내에게 물었다.

"혹시 그들이 어딘가에서 무거운 갑옷을 벗어 버렸다면 어쩌죠?"

라이의 말에 샘이 말도 안 된다는 듯 빈정거렸다.

"흥! 이런 위험한 곳에서 갑옷을 벗는다고? 그건 그냥 죽겠다는 소리나 마찬가지야."

"잘 생각해 보니 그들이 착용하고 있던 갑옷은 최소 두 겹 이상이었습니다. 그러니 한 겹 정도 벗어 버린다고 해서 크게 문제될 건 없죠. 대신 무게는 대폭 감소할 테고 말이죠."

그러자 뭔가를 깨달았는지 중년 사내의 얼굴이 크게 일그러졌다. 그런 모습을 보며 라이는 계속 말을 이었다.

"무게가 가벼워진 만큼 흔적 역시 얕게 생겼을 확률이 큽니다. 안 그렇습니까?"

중년 사내는 다급히 샘에게로 시선을 돌리며 말했다.

"들었지? 깊은 흔적만 찾지 말고, 작은 거라도 샅샅이 찾아 봐."

그러면서 중년 사내는 방금 전에 놈들의 흔적이 아닌 것으로 판단해서 그냥 건너뛰었던 자국들을 다시 한 번 살펴보기 위해 달려갔다. 그렇게 수색을 재개한 지 얼마 지나지 않아 그토록 찾아 헤맸던 리치몬드 일행의 발자국을 찾아냈다. 라이의 조언이 적중한 덕분이었다.

라이의 짐작대로 그들의 발자국은 아주 얕게 패여 있었고, 발자국의 형태조차도 예전과는 판이하게 변해 있었다. 아마도 당나귀에 실어 놨던 가죽부츠로 갈아 신은 모양이었다. 물론 값비싸 보이던 강철부츠는 버렸을 테고…….

'젠장, 아까워라……. 버릴 거였다면 나를 주지.'

발자국을 확인한 중년 사내는 기가 막힌 모양이었다.

"허, 이렇게까지 철저하게 준비를 해 놨을 줄이야……."

잠시 고개를 절레절레 흔들던 중년 사내는 갑자기 라이의 어깨를 토닥이며 칭찬했다.

"이번에는 네놈의 도움이 꽤 컸다. 아주 제법이야."

"감사합니다."

"그건 그렇고, 수녀님을 빨리 모시고 와라. 출발이다!"

"저…, 그런데 한 가지 묻고 싶은 게 있는데요. 그놈들이 만약에 이미 국경을 넘어가 버렸다면 어떻게 하실 겁니까?"

그러자 중년 사내는 당연하다는 듯 대답했다.

"내가 전에 말했잖아. 그놈의 머리통을 잘라야 끝난다고 말이야. 그러니 쓸데없는 소리 하지 말고 빨리 가서 수녀님이나 모시고 와."

중년 사내의 대답에 라이는 울컥하는 걸 느꼈다. 곧 자유를 되찾을 수 있을 줄 알았는데, 언제 끝날지도 모를 숨바꼭질을 해야만 하는 것이다. 그것도 광활하다는 말밖에는 나오지 않을 정도로 드넓은 산맥을 헤매며. 그러다 만약 재수가 없어 트롤이나 오우거와 같은 몬스터라도 만나게 되면 목숨마저 장담할 수가 없는 것이다.

명령을 내리고 흔적을 따라 점차 멀어져 가는 중년 사내의 등판을 바라보며 라이는 갈등했다.

'에이 씨. 확 죽여 버리고 튀어?'

순간 라이의 손은 자신도 모르게 허리춤에 매어 놓았던 도끼를 향해 슬금슬금 움직이기 시작했다. 이 정도 거리라면 눈감고 던져도 죽일 수 있다. 하지만 샘의 존재가 마음에 걸렸다. 그가 아직 본격적인 실력을 보여 준 것은 아니었지만, 느낌상 아무래도 레인저 교육을 받은 것 같았기 때문이다.

잠시 고민하던 라이는 길게 한숨을 내쉬며 탈출을 다음 기회로 미루기로 했다. 아직은 때가 아니라고 생각했던 것이다. 예전에 노예로 잡혀 오는 과정에서 섣불리 행동하면 어떤 꼴을 당하게 되는지 뼈저리게 경험하지 않았던가. 인내하고 고심하는 것만이 살길이었다.

라이는 소피아 수녀가 대기하고 있는 곳으로 달려가며 소리를 꽥 질렀다.

"수녀님! 흔적을 따라 출발한대요. 빨리 오세요!"

『〈묵향〉 33권에 계속』